"Pourquoi ne ██████
me laisser en ██████

Mara comptai... ███████████
masquer la gêne qu'elle ressentait.
Mais Sin poursuivit sans tenir compte
de l'interruption.

"Le contact physique vous effraie,
voilà la vérité. Vous êtes jeune et
belle, mais vous avez peur de votre
corps. La vie se chargera de vous
apprendre que l'amour physique ne
va pas systématiquement de pair
avec l'amour. D'ailleurs…" Il se
pencha vers elle. "Comment
pouvez-vous ignorer le désir qui
brûle en chacun de nous?"

La voix de Sin n'était plus qu'un
souffle. Elle éveillait en Mara un
monde d'exigences et de désirs dont
elle n'avait jamais soupçonné
l'intensité.

"Seule une sainte n'aurait pas envie de
sentir une main amie caresser sa
chevelure," murmura Sin. Il inclina
doucement la tête vers elle…

Dans Collection Harlequin

Janet Dailey
est l'auteur de

LA FIANCEE DE PAILLE (#15)
LA CANNE D'IVOIRE (#29)
LA COURSE AU BONHEUR (#31)
FIESTA SAN ANTONIO (#38)
POUR LE MALHEUR ET POUR LE PIRE (#53)
LES SURVIVANTS DU NEVADA (#64)
LE VAL AUX SOURCES (#68)
LA BELLE ET LE VAURIEN (#78)
FLAMMES D'AUTOMNE (#81)
LA VALSE DE L'ESPOIR (#97)
JE VIENDRAI A TON APPEL (#107)
A MENTEUR, MENTEUSE ET DEMI (#111)
LA MARQUE DE CAÏN (#118)
CE TEINT DE CUIVRE CHAUD (#132)
UNE ETOILE AU SOLEIL COUCHANT (#145)
A LA SOURCE DE NOTRE AMOUR (#156)
L'HOMME DU VERMONT (#169)
LA NUIT D'ACAPULCO (#180)
CE VENT AU GOUT DE PLUIE (#190)
HIER, A SQUAW VALLEY (#196)
L'OURAGAN PASSERA (#203)
L'INCONNU DU BAYOU (#208)
SANS LA MOINDRE PITIE (#213)
CHERE PRISON (#218)

Dans Harlequin Romantique

Janet Dailey
est l'auteur de

LA MAISON DES REVES PERDUS (#75)

Ces titres sont disponibles chez votre dépositaire.

MARA
LA CRUELLE

Janet Dailey

PARIS · MONTREAL · NEW YORK · TORONTO

Publié en janvier 1982

ISBN 0-373-49230-8

Dépôt légal 1er trimestre 1982
Bibliothèque nationale du Québec et Bibliothèque nationale
du Canada.

Imprimé au Canada—Printed in Canada

— Mara ?

A l'appel de son prénom, la jeune fille ne releva pas la tête et continua consciencieusement de battre ses blancs en neige. Elle achevait de napper la tarte aux meringues, lorsqu'elle entendit le fauteuil roulant approcher de la cuisine.

— Mara, le facteur vient de passer. J'attends une lettre de Fitzgerald. Voudrais-tu aller voir ?

La jeune fille ne se retourna pas.

— Tout à l'heure, Adam. Pour l'instant, je suis occupée.

Ignorant le silence qui avait suivi sa réponse, elle reprit sa tâche comme si de rien n'était.

— Cesse de m'appeler ainsi, veux-tu ? Tu t'adresses à ton père, ne l'oublie pas !

Par-dessus son épaule, Mara regarda l'auteur de ses jours, celui auquel elle devait son nom de Prentiss. Mais la vue de ce bel infirme, prisonnier de son fauteuil roulant, n'éveilla en elle aucune pitié.

Cependant, elle pouvait difficilement renier ses origines. Tous deux possédaient les mêmes yeux sombres, la même chevelure de jais — striée, il est vrai, chez son père, de fils d'argent qui accentuaient encore sa distinction naturelle.

— Je ne l'oublie pas, Adam.

La voix, comme l'attitude de la jeune fille, était empreinte de la plus extrême froideur.

L'homme blêmit, crispant ses doigts sur le rebord du fauteuil. Mais Mara s'était déjà remise à l'ouvrage : une dernière volute de meringue, et elle enfourna son gâteau.

— Ça sent bon ! reprit son père dans un effort pour rompre l'atmosphère tendue de la pièce. Que fais-tu là ? Une mousse au chocolat, j'espère ?

— Non, une tarte au citron.

— Tu pourrais faire de temps en temps une mousse au chocolat... Tu sais combien j'aime ça !

— Toi, peut-être. Pour ma part, j'en ai horreur !

Sur ce, elle se dirigea vers l'évier où elle entreprit de rincer son récipient.

— C'est nouveau... rétorqua l'infirme sur le ton du défi. Lorsque tu étais petite...

Sa voix prit une intonation chaude et nostalgique ;

— ... nous nous battions à qui de nous deux finirait le plat, tu te souviens ?

— C'est si loin... murmura la jeune fille en songeant que tant de choses s'étaient passées depuis.

— Ta mère réussissait ce dessert comme personne ! poursuivit Adam Prentiss. De qui Rosemarie pouvait-elle bien tenir cette recette ? Je me le demande...

Mara fit volte-face. Ses yeux sombres étincelaient de colère. D'une voix haineuse, elle s'écria :

— Comment oses-tu prononcer le nom de ma mère ?

— C'était aussi ma femme, constata-t-il doucement.

— Ah oui ?

Seul le défi se peignait à présent sur le visage de la jeune fille serrant les dents au souvenir de toutes ces années d'amertume.

— Pourtant tu l'as bien oubliée lorsque tu es parti avec cette petite traînée !

— Ne crois pas ça.

— Tu avais une femme et un enfant, reprit-elle en

6

élevant la voix. Et tu nous as abandonnées sans un regard en arrière !

— Ne parle pas sans savoir, Mara. Tu n'avais que quinze ans...

— Et alors ? J'étais assez grande pour comprendre, il me semble ! Lorsque tu as quitté maman pour une autre femme, elle ne s'en est jamais remise. Elle a même fini par en mourir. Tu étais son Dieu, elle ne vivait que pour toi. Tu es la seule personne qui ait jamais compté dans sa vie !

— Crois-tu que je n'en ai pas souffert ? rétorqua-t-il avec violence. J'aurais préféré agir autrement, je t'assure !

— Hypocrite ! Tu n'avais que cette blonde en tête, et tu te moquais pas mal du reste !

Elle détourna la tête avec dégoût.

— Mon Dieu, dire qu'elle était à peine plus âgée que moi !...

— J'étais amoureux de Jocelyne, je le reconnais... Mais cela ne m'empêchait pas de me faire du souci au sujet de ta mère.

— Comment pourrais-je te croire ? J'ai vu de quelle manière ignoble tu la traitais ! Avant même de connaître cette blonde, tu tournais autour de toutes les...

— Pour l'amour du ciel, Mara, cela n'a jamais prêté à conséquence !

— J'en suis moins sûre que toi... Maman avait beau faire semblant d'en rire, je lisais la souffrance au fond de son regard. Mais tu n'en continuais pas moins...

— Je n'ai pas à me justifier devant toi. Et d'ailleurs, je n'ai jamais prétendu être parfait...

L'indignation, chez son père, avait fait place à la froideur.

— Peut-être, reconnut Mara, mais tu as toujours tout fait pour en convaincre maman. Elle répétait à qui voulait l'entendre qu'elle était la plus heureuse des femmes de t'avoir épousé !

— J'étais amoureux d'une autre, ne l'oublie pas. Crois-tu qu'il aurait été honnête de ma part de rester auprès de ta mère dans ces conditions ? La situation aurait été intenable pour nous deux !

— Aussi as-tu préféré la quitter pour qu'elle soit la seule à souffrir, remarqua-t-elle méchamment.

— C'est bon, j'ai brisé le cœur de ta mère, je le reconnais... Mais de ton côté, accorde-moi que je ne l'ai pas abandonnée financièrement. Je lui ai tout laissé : la maison, le terrain, l'argent. Je suis parti avec mes seuls vêtements pour toute richesse. Je n'avais plus rien, et je n'ai toujours plus rien : à sa mort, c'est toi qui as hérité de tout.

— Tu t'attendais peut-être à être son légataire universel ? railla-t-elle.

— Non, bien sûr !

Le ton était teinté d'exaspération.

— Mais avoue que j'ai assez payé, Mara ! Dans cet accident qui m'a coûté l'usage de mes jambes, Jocelyne a été tuée. Je suis paralysé pour le restant de mes jours. D'après les médecins, il se peut même qu'en vieillissant je ne sois plus capable de me déplacer dans ce fauteuil roulant. Que veux-tu de plus ?

La colère de Mara tomba d'un coup, mais elle resta sourde à la plainte de son père. Un calme glacé s'était emparé d'elle. Le visage fermé, elle se dirigea vers le four où la tarte meringuée avait pris une belle couleur ambrée.

— Si tu espères éveiller ma pitié, laissa-t-elle tomber en sortant le gâteau du four, tu perds ton temps.

— J'essaie seulement de te faire comprendre ! répliqua-t-il avec lassitude. Peux-tu me dire alors pourquoi je suis ici ? Après mon accident, tu as déclaré aux médecins que tu allais t'occuper de moi. J'ai cru que tu avais fini par me pardonner ! Sinon, comment expliquer ton geste ?

— Contrairement à toi, vois-tu, j'ai le sens de la

famille ! Indépendamment de mes sentiments à ton égard, tu es mon père, et je ne l'oublie pas. Il est de mon devoir de prendre soin de toi.

— Voilà donc la seule raison de ma présence ici ! soupira-t-il. Ton devoir...

Il la scruta attentivement.

— Et si j'étais plutôt un alibi commode pour te couper du reste du monde ?

Un mince sourire effleura les lèvres de la jeune fille.

— Je me sens *responsable* de toi. Mais comment pourrais-tu comprendre le sens de ce mot ?

— Tu es si vertueuse, Mara, que je me demande parfois si un halo de sainteté ne va pas s'élever au-dessus de ta tête ! commenta sèchement Adam Prentiss. Ce que je m'explique mal, en revanche, c'est pourquoi tu as si peu d'amis. Tu refuses toutes les invitations sous prétexte de rester près de moi. Tu vas finir par les décourager !

— Si tu savais combien cela m'est égal, rétorqua Mara en haussant les épaules.

— Du temps de ta mère, déjà, tu ne sortais pas souvent, n'est-ce pas ? Tu passais le plus clair de ton temps avec elle ?

Elle le toisa d'un regard méprisant.

— Peut-être l'ignores-tu, mais maman s'est trouvée très seule après ton départ. Elle avait besoin de moi...

— Je serais plutôt enclin à penser, observa son père d'une voix sourde, que tu te servais d'elle comme tu te sers de moi. Le dévouement est ta seule raison d'être. De quoi as-tu peur, Mara ? De découvrir, si jamais tu venais à descendre de ton piédestal, que tu ne vaux pas mieux que les autres ?

— Pense ce que tu veux, Adam. Je m'en moque !

Un sourire arrogant au coin des lèvres, elle se dirigea vers le porte-manteau et s'empara de sa veste de laine.

— Je vais voir si le facteur a déposé quelque chose dans la boîte aux lettres !

— Bon prétexte pour couper court à notre petite conversation, hein, Mara ?

Sur le point de sortir, elle se ravisa. Lorsqu'elle se retourna, ce fut pour poser sur son père un regard sans indulgence.

— Inutile de chercher à m'abuser, Adam. Je vois clair dans ton jeu ! Tous les moyens te sont bons pour étouffer en toi le sentiment de ta culpabilité : tu sais pertinemment que tu as besoin de moi... mais comme tu ne peux supporter l'idée que je me sacrifie pour toi, tu m'inventes des motifs inavouables !

— Oh, Mara !

Il hocha tristement la tête.

Mais la jeune fille avait déjà reporté son attention sur le cadre environnant : la vieille cuisine confortable, avec ses placards et ses coffres de chêne patinés par le temps, ses murs gaiement tapissés de papier jaune et blanc, ses rideaux de cretonne assortie...

Au centre de la pièce trônait une imposante table de ferme sur laquelle reposait un énorme panier d'oranges et de pommes rouges. Le carrelage ancien, aux admirables tons de terre cuite, achevait de faire de l'endroit une pièce où il faisait bon vivre.

— Je devine ce qui te tracasse, reprit Mara. C'est de vivre sous mon propre toit ! Tu ne peux supporter l'idée de me devoir ta présence ici. Après nous avoir abandonnées, j'imagine aisément qu'il ne doit pas être facile pour toi de dépendre ainsi de ta propre fille... Mais en réalité tu ne connais pas ta chance ! Non seulement, tu as trouvé ici un endroit où vivre en toute quiétude et continuer à travailler, mais encore une infirmière, une femme de ménage et une assistante, tout cela en une seule et même personne ! Que demander de plus ? Alors, je t'en prie, vois les choses comme elles sont et admets que j'agis par simple devoir filial !

Comme elle ouvrait la porte pour sortir, elle entendit derrière elle la voix acerbe de son père.

— Prends garde au vent ! Il pourrait faire envoler ton auréole...

La jeune fille serra les dents mais ne trouva rien à répondre. Dehors, la brise fraîche de septembre lui fit du bien. Il y avait dans l'air comme un parfum d'automne. Elle remarqua, en se dirigeant vers la grille d'entrée, que les premières feuilles mortes avaient envahi la pelouse. Pourtant, les arbres étaient encore verts, et seul un œil attentif pouvait y déceler un soupçon de jaune. Bientôt, cette région de Pennsylvanie, proche de Gettysburg, resplendirait des derniers feux de l'arrière-saison.

Les mains dans les poches, Mara resserra les pans de sa veste autour d'elle et longea le mur de briques jusqu'à la route. La remarque de son père lui avait fait instinctivement relever la tête, et elle marchait le buste encore plus droit que d'habitude. Jamais elle n'avait méprisé quelqu'un à ce point !

C'était bien de lui de rejeter ainsi la culpabilité sur les autres ! Les larmes aux yeux, la jeune fille se souvint des années de torture que sa mère avait endurées après le départ d'Adam : la pauvre femme ne cessait de se demander quelle faute elle avait bien pu commettre pour mériter pareil châtiment. Et Mara avait beau répéter qu'elle n'y était pour rien, elle refusait de la croire.

Un écureuil détala devant elle. Sans doute faisait-il ses provisions pour l'hiver... Mais le spectacle de la nature ne parvint pas à distraire la jeune fille de ses obsessions, et elle poursuivit son chemin, perdue dans ses pensées.

Un important courrier l'attendait à l'intérieur de la boîte aux lettres. Pour la plupart, adressé à son père, comme d'habitude. Seules deux ou trois factures lui étaient personnellement destinées.

Il est vrai que Mara avait peu d'amis, mais elle n'en avait jamais souffert. Pour rien au monde, elle n'aurait

11

voulu être de ceux qui ont constamment besoin des autres. C'était pour elle signe de faiblesse. Son indépendance était son bien le plus précieux.

A vingt-deux ans, son goût pour la solitude était plus ancré que jamais. Cela tenait en partie à son enfance : fille unique, elle avait été élevée dans une région où les plus proches voisins n'avaient pas d'enfants de son âge. Mais les circonstances avaient, elles aussi, joué leur rôle : bien sûr, le brusque départ de son père lui avait attiré la sympathie de ses camarades. Mais aucun n'avait compris la profondeur de sa détresse.

En raison de la personnalité même d'Adam Prentiss, il était difficile de garder la chose secrète. Historien réputé de la guerre de Sécession, spécialiste de la bataille de Gettysburg, son aventure avait vite fait le tour de la ville et même de la région.

Mara venait de rentrer à l'Université lorsque sa mère était tombée malade. Malgré les soins attentifs de sa fille, qui n'avait pas hésité à abandonner aussitôt ses études pour rester auprès d'elle, Mme Prentiss était morte six mois plus tard. Alors avait commencé pour la jeune fille une sombre période où elle avait dû s'occuper des funérailles et des innombrables formalités testamentaires. Là-dessus — il y avait tout juste deux ans de cela — était venu se greffer l'accident de son père. Autant d'épreuves qui avaient conduit Mara à ne compter que sur elle-même.

La boîte aux lettres refermée, elle s'apprêtait à rebrousser chemin en direction de la vaste demeure de briques rouges, lorsqu'une voiture s'arrêta à sa hauteur. Elle reconnut Harvey Bennett.

— J'ai de bonnes nouvelles pour vous ! lui cria-t-il par la vitre entrouverte.

« Au sujet du cottage, sans doute... » se dit Mara en ouvrant la grille. Harvey Bennett était un jeune agent immobilier à qui elle avait confié le soin de louer une petite maison qu'elle possédait en bordure du domaine.

Après le départ de son père, celle-ci avait été laissée à l'abandon. Et il avait fallu des années pour que Mara se décide enfin à faire effectuer les réparations nécessaires. L'opposition d'Adam à ce projet avait été déterminante : ah ! il la croyait incapable de louer ce cottage un prix suffisant pour amortir le coût des travaux ! Eh bien, c'était mal la connaître !

La réfection venait de s'achever voilà une semaine. Aussitôt Harvey s'était mis en quête de locataires tandis que Mara procédait aux premiers aménagements. Sans hâte excessive, car elle ne comptait guère sur un client avant plusieurs semaines. « Peut-être ai-je eu tort de ne pas me presser davantage ? » songea-t-elle en apercevant la mine réjouie du jeune homme.

— Bonjour, Harvey ! fit-elle en lui rendant poliment son sourire. De bonnes nouvelles, dites-vous ? Est-ce à propos du cottage ?

— Vous avez deviné ! J'ai reçu aujourd'hui un appel qui peut vous intéresser.

Elle le précéda jusqu'à la maison et l'introduisit dans le hall. La porte du bureau était ouverte. De l'intérieur leur parvint la voix d'Adam Prentiss.

— Du courrier pour moi, Mara ?

— Oui.

Elle s'arrêta pour trier les lettres qui lui étaient destinées.

— J'en ai pour un instant ! dit-elle à Harvey avant de se diriger vers le bureau.

Elle allait se retirer après avoir posé le courrier sur la table de travail de son père, lorsque celui-ci aperçut le jeune homme dans l'entrée.

— Harvey ! Comment allez-vous ? Les affaires sont bonnes ?

— Une vente pousse l'autre, monsieur Prentiss... Mais vous-même, comment allez-vous ?

— Bien, bien, répondit distraitement Adam en prenant connaissance de la première missive.

En revenant vers le jeune homme, Mara ne put se défendre de penser que le physique juvénile d'Harvey devait entrer pour une grande part dans la remarquable progression de ses ventes. A presque trente ans, il avait la candeur d'un adolescent. De quoi inspirer confiance au plus irréductible des clients...

— Allons dans la cuisine, voulez-vous ?

Elle n'avait aucune envie de parler affaires devant son père.

— Volontiers ! Je meurs d'envie de prendre une tasse de café, répondit Harvey sans se démonter.

— Je vais voir s'il m'en reste du déjeuner, sourit-elle, désarmée par tant d'aimable sans-gêne.

Comme le jeune homme se précipitait pour l'aider à se débarrasser de son manteau, elle le gratifia d'un « merci » très sec avant de l'accrocher elle-même à la patère.

— Vous avez eu un appel d'une personne intéressée par le cottage, me disiez-vous ?

Elle s'empara de la cafetière.

— Quelqu'un d'ici ?

— Non, de Baltimore, répondit Harvey en s'asseyant sans attendre d'y avoir été invité.

— De Baltimore ? Pourquoi ? Ils ont l'intention de s'installer à la campagne ?

Elle lui versa une tasse de café et la lui tendit.

— Lait ou sucre ?

— Nature, toujours ! Vous ne vous souvenez pas ? lança-t-il en prenant l'air offusqué. Non, votre client potentiel cherche une maison de week-end où il puisse trouver la détente loin des bruits de la ville et des contraintes professionnelles.

— Tout cela serait parfait si l'aménagement du cottage était terminé... observa Mara. Mais ce n'est pas le cas ! J'ai encore des tas de choses à acheter, et s'il veut visiter...

— Il n'en a pas l'intention.

— Comment ? Il louerait cette maison sans la voir ? C'est insensé !

— Ce n'est pas tout à fait ce que j'ai voulu dire, rectifia Harvey d'un air passablement gêné. Comme il ne pouvait se déplacer pour l'instant, je... euh... je lui ai laissé entendre que vous étiez assez pressée...

— Et il s'est décidé à faire le voyage ?

— Non. Il a suffi que je décrive les lieux — en pleine campagne, calme et à l'abri des regards — pour qu'il me donne aussitôt son accord verbal par téléphone.

Sous le ton d'Harvey perçait la fierté d'avoir mené rondement l'affaire.

— Seulement, pour être sûr que je ne lui louais pas une cabane de rondins à la place d'un cottage, il m'a demandé de lui faire parvenir quelques photos. Je lui ai promis de faire diligence et de les lui envoyer dès demain.

— Demain ? gémit Mara. Mais, Harvey, vous n'y pensez pas ? Il manque encore des tas de meubles !

— Rassurez-vous, je l'ai prévenu ! Ce à quoi il m'a répondu qu'il préférait finir de l'aménager lui-même.

Conscient d'avoir produit son petit effet, le jeune homme commença à déguster son café.

« C'est trop beau pour être vrai ! » songea Mara avec une pointe de scepticisme. Elle éprouva le besoin d'en savoir davantage.

— Qui est cet homme ? Que savez-vous de lui ? Est-il jeune ou vieux ? Après tout ce que j'ai dépensé pour remettre ce cottage en état, je ne voudrais pas le voir dévasté en un rien de temps par une bande d'énergumènes sans scrupules !

— C'est difficile de juger quelqu'un par téléphone, rétorqua Harvey. Il s'appelle Sinclair Buchanan. A l'entendre, il m'a fait bonne impression. En tout cas, il n'est pas de ceux qui discutent les prix : une augmentation de cinq cents francs sur le loyer mensuel ne l'a pas fait sourciller…

— Cinq cents francs ?

Elle le regardait, abasourdie.

— J'ai cru bon de prendre cette initiative, sourit-il d'un air suffisant.

— Mais pourquoi ?

Le prix de départ qu'ils avaient fixé ensemble couvrait déjà largement le coût des réparations !

— Il m'a semblé qu'il pouvait se le permettre, rétorqua Harvey avec un haussement d'épaules. S'il s'était récrié, j'aurais pu invoquer une erreur de frappe dans le contrat. Mais je n'en ai pas eu besoin. Belle opération pour vous, n'est-ce pas ?

Même si l'aspect moral de l'affaire laissait à désirer, le raisonnement était logique. Cependant, Mara refusa de se laisser entraîner dans cette aventure sans plus de garanties.

— Comprenez-moi, Harvey… Je ne peux louer ce cottage à n'importe qui ! Je veux savoir d'abord de qui il s'agit, et si cette personne est solvable.

— Ne vous inquiétez pas, Mara ! Si, après avoir vu les photos, il est prêt à signer le contrat, je m'engage à lui demander ses références bancaires. M. Sinclair Buchanan n'aura plus de secrets pour moi, je vous le garantis !

— Nous verrons bien… répliqua la jeune fille en guise d'avertissement.

— Pour l'instant, il s'agit de parer au plus pressé. Je veux parler des photos…

Harvey ne semblait pas le moins du monde affecté par le manque de confiance de sa cliente.

— Pour ce faire, j'ai besoin des clés du cottage.

— Je vais vous les chercher, décréta Mara en se levant.

Mais le jeune homme la prit par le bras au passage.

— J'ai une meilleure idée. Pourquoi ne m'accompagneriez-vous pas ?

Il avait pris une voix enjôleuse qui eut le don d'agacer Mara.

— Je suis occupée. Une autre fois, peut-être...

Elle essaya de se dégager, mais il resserra son étreinte.

— « Une autre fois ! » Vous me dites toujours la même chose !

La jeune fille sentait la chaleur de son souffle contre son oreille. Tant de fois déjà, elle l'avait découragé ! Pourquoi s'obstinait-il à ne pas comprendre ? Elle secoua avec impatience sa courte chevelure brune.

— Pas aujourd'hui. C'est impossible !

Le ton n'admettait pas de réplique.

Le visage d'Harvey se rembrunit. Il sembla hésiter sur le parti à prendre, puis se décida à la relâcher.

— Je ne sais pas ce qui m'arrive avec vous, Mara... Avec les autres, je m'incline au second refus. Mais avec vous, je ne parviens pas à m'y résoudre.

— Je vais chercher les clés du cottage.

— C'est tout ce que vous trouvez à répondre ? gémit le jeune homme dont l'exaspération était teintée d'amusement. Rien ne viendra donc jamais entamer votre redoutable sang-froid ?

Un léger sourire se dessina sur les lèvres de Mara qui sortit sans mot dire. Elle alla prendre les clés dans le tiroir du bureau et s'apprêtait à ressortir lorsque son père l'interpella.

— Vous allez au cottage ?

— Harvey, pas moi. Il a des photos à prendre pour un client intéressé par la maison.

Connaissant le scepticisme de son père pour le projet, elle n'était pas mécontente de lui annoncer la nouvelle.

— Je croyais que tous les travaux n'étaient pas terminés ?

— Le gros œuvre, si. Il manque simplement quelques

meubles, mais cette personne ne semble pas s'en soucier.

Elle omit sciemment de mentionner la substantielle augmentation du prix du loyer. Il était plus prudent d'attendre la signature du contrat.

— Un conseil, Mara ! reprit son père. Prends des renseignements sur ton futur locataire. Les vandales ne sont pas rares de nos jours !

— Je n'ai que faire de tes conseils, Adam. Voilà bien longtemps que j'ai appris à me débrouiller seule. A vrai dire, depuis le jour où tu as déserté la maison.

Il soupira.

— Je ne voulais pas...

— Crois-tu que je ne vois pas clair dans ton jeu ? coupa-t-elle d'un ton méprisant. Tu peux vivre dans cette maison tant qu'il te plaira, mais ne compte pas régenter ma vie comme tu as régenté celle de maman !

Sur ce, elle tourna les talons et rejoignit Harvey dans la cuisine. A son entrée, le regard de celui-ci s'anima. Mais devant l'indifférence glaciale de la jeune fille, il poussa un soupir à fendre l'âme.

— Voici les clés, annonça Mara qui ne s'était aperçue de rien.

— Je vous les rapporte dès que j'ai terminé. Cela ne devrait pas être bien long.

— Très bien.

— Vous êtes sûre de ne pas vouloir m'accompagner ? fit-il en revenant à la charge.

— Non.

— Je m'en doutais !

Son sourire avait tout d'une grimace.

— Alors, à tout à l'heure !

— C'est cela. A tout à l'heure, Harvey.

— Et ne vous faites pas de souci au sujet du cottage ou de Sinclair Buchanan. J'ai dans l'idée que tout se passera très bien !

18

Mara réprima avec peine son agacement. La décision viendrait d'elle et d'elle seule. Elle n'était pas plus disposée à se laisser influencer par Harvey que par son père.

2

Une semaine plus tard, un coup de téléphone d'Harvey avertissait Mara que Sinclair Buchanan confirmait son intention de louer le cottage. Dès le surlendemain, le jeune agent immobilier se présentait chez elle avec les références fournies par le futur locataire.

— Que vous avais-je dit ? s'écria-t-il d'un air triomphant. Non seulement c'est un honnête citoyen offrant des garanties morales irréprochables, mais j'avais presque honte de l'interroger sur son compte en banque...

Mara étudia les papiers avec la plus grande attention. Elle en venait presque à souhaiter y trouver une faille pour confondre la belle assurance d'Harvey. Mais elle dut bien vite se rendre à l'évidence : il n'y en avait aucune.

— Il semble que vous ayez raison, concéda-t-elle à contrecœur.

— Vous pourriez faire preuve d'un peu plus d'enthousiasme ! grommela-t-il. Vous ne vous rendez pas compte de votre chance, Mara. C'est une offre exceptionnelle !

— Détrompez-vous, Harvey. J'en ai pleinement conscience. Seulement, je pense qu'il serait plus sage d'attendre de voir figurer sa signature au bas du contrat pour clamer victoire...

— Sa signature et un chèque de caution de deux mois d'avance, ne l'oubliez pas !

— Je ne l'oublie pas, Harvey.

— En attendant, déclara-t-il en sortant un document de sa serviette, vous allez me signer cet exemplaire dont je ferai parvenir le double à Buchanan.

Il tendit un stylo à la jeune fille et posa l'imprimé sur la table de la cuisine. Celle-ci le parcourut attentivement avant d'apposer sa signature sous le « M. Prentiss » dactylographié par les bons soins d'Harvey. L'opération terminée, elle se sentit soulagée d'un grand poids, comme si elle venait de prendre une décision qui allait changer toute sa vie. Un simple contrat de location... C'était parfaitement ridicule !

— Pourquoi cet air soucieux ? demanda le jeune homme. C'est une formalité, rien de plus !

— Mais je ne suis pas soucieuse, se défendit-elle.

Comme l'avait prévu Harvey, tout se passa le mieux du monde. Le contrat adressé à Sinclair Buchanan fut renvoyé par retour, dûment signé et accompagné d'un chèque. A l'expression d'Harvey lorsqu'il arriva chez elle, Mara comprit tout de suite le but de sa visite.

— Et voilà !

Il arborait une enveloppe avec une autosatisfaction évidente.

— Tout est signé, contre-signé... En un mot, l'affaire est réglée !

Mara prit les documents qu'il lui tendait et s'assura que la signature était bien là. Le montant du chèque la fit sursauter.

— Mais ce n'est pas la somme demandée ! C'est beaucoup trop !

— Je sais... Vous comprendrez lorsque vous aurez lu la lettre jointe. M. Buchanan compte arriver vendredi soir assez tard, et vous adresse une liste de provisions dont il aimerait disposer à son entrée dans le cottage.

22

D'où le montant du chèque — destiné à vous dédommager de vos dépenses et du dérangement causé.

Après avoir pris connaissance de la lettre, Mara consulta la liste en songeant que cet homme ne manquait pas d'audace de la mettre ainsi à contribution ! Mais force lui fut de reconnaître qu'il savait se montrer généreux pour la rétribution de ses services.

Le reflet de sa contrariété devait se lire sur son visage, car Harvey crut bon de lui faire observer :

— Si vous êtes trop occupée, je peux charger quelqu'un de l'agence de…

— Non, je m'en acquitterai moi-même en faisant mes courses.

— C'est ce que je m'étais permis de penser ! rétorqua-t-il en souriant. Ah ! autre chose ! Pour les clés du cottage… Dans sa lettre, il ne mentionne pas l'heure de son arrivée, et notre bureau ferme à cinq heures. Peut-être serait-il plus simple qu'il vienne les prendre ici ?

— En effet, répliqua Mara en remettant les papiers dans leur enveloppe. Il faudra bien que M. Buchanan et moi nous rencontrions un jour ou l'autre. Autant que ce soit à son arrivée !

Elle ne pouvait réprimer une légère angoisse au creux de l'estomac. Elle la mit sur le compte de son manque d'expérience : son rôle de propriétaire était tout nouveau pour elle.

— Que n'aurais-je donné pour louer moi-même ce cottage et vous avoir comme propriétaire ! soupira Harvey. Hélas, c'est très au-dessus de mes moyens !

— Allons, railla la jeune fille, ne vous faites pas plus pauvre que vous ne l'êtes !

Un grand sourire illumina le visage de son interlocuteur.

— Certes, je n'ai pas trop mal travaillé ce mois-ci… Vous non plus, d'ailleurs, à en juger par ce chèque ! Si nous fêtions l'événement ? Que diriez-vous de dîner avec moi samedi soir ?

— Désolée, Harvey, mais j'ai peur que ce ne soit impossible. P...

— Si vous dites encore « peut-être une autre fois », je vous étrangle ! rugit le jeune homme en feignant le plus grand désespoir. Et ne comptez pas vous en sortir aussi facilement aujourd'hui : j'exige une explication plausible !

— Mais Harvey...

— Il n'y a pas d'Harvey qui tienne, Mara.

Il avait cessé de plaisanter.

— Pourquoi ne pourriez-vous pas sortir avec moi samedi soir ?

— Je ne peux pas me permettre de laisser Adam seul si longtemps.

— Voyons, Mara, votre père est parfaitement capable de se débrouiller l'espace d'une soirée. Je vous ai demandé de dîner avec moi, et non de passer la nuit entière à mes côtés !

— Désolée de vous contredire, mais Adam ne peut pas rester seul, s'obstina la jeune fille.

— Vous ne me ferez jamais croire une chose pareille !

La prenant par le bras, il l'obligea à lui faire face.

— Ne comprenez-vous pas ce que j'éprouve pour vous ? Voilà des mois que je vous supplie de sortir avec moi ! Vous allez me rendre fou !

— Epargnez-moi ce genre de clichés, Harvey, je vous en prie ! Vous n'y croyez pas vous-même...

Sous la froideur du ton perçait un certain amusement.

— Mais c'est la vérité ! s'indigna-t-il, furieux qu'elle puisse douter de lui.

— Ah oui ? Et que faites-vous donc de toutes ces conquêtes qui, dit-on, se succèdent à votre bras ? Voyons... il y a eu, je crois, une infirmière de l'hôpital, une institutrice, une secrétaire aussi... et je ne parle que des dernières !

— Pour l'amour du Ciel, Mara, qu'attendez-vous de moi ?

Il l'avait relâchée et se passa nerveusement la main dans les cheveux.

— Précisément, je n'attends rien de vous, constata froidement la jeune fille.

— Alors pourquoi m'abstiendrais-je de rencontrer d'autres femmes quand vous opposez un refus catégorique à toutes mes demandes ? Si vous ne l'êtes pas, moi je suis un être humain, de chair et de sang !

— Si c'est là toute l'opinion que vous avez de moi, rétorqua sèchement Mara, je ne vois pas pourquoi vous vous obstinez à me faire la cour ?

— Voulez-vous que je vous dise ?

L'habituel sourire d'Harvey s'était mué en un rictus amer.

— Je ne le sais pas moi-même ! Mais en tout cas, je suis sûr d'une chose : je ne perdrai pas davantage mon temps pour une aventure qui n'aurait pas manqué de tourner à l'aigre !

La jeune fille n'éprouva aucune émotion à le voir partir. Un sourire méprisant se dessina sur ses lèvres en l'entendant claquer la porte avec rage. Quel enfant, cet Harvey ! Le bruit familier du fauteuil roulant lui fit tourner la tête. Son père venait aux nouvelles.

— Que lui arrive-t-il ? Il semblait soudain bien pressé de partir...

— Un rendez-vous urgent dont il s'est souvenu au dernier moment, rétorqua la jeune fille à court d'idées.

— Tiens, tiens... J'aurais plutôt penché pour une altercation entre vous deux. Mais j'ai dû faire erreur... S'agit-il du contrat de location ?

Du doigt, il indiquait les papiers qu'elle avait en main.

— Oui, M. Buchanan prendra possession de la maison vendredi. Mais peut-être voudrais-tu y jeter un coup d'œil pour t'assurer que personne n'a abusé de ma confiance ?

Elle prit un malin plaisir à lui tendre le contrat. Un

instant surpris par l'attitude de sa fille, M. Prentiss le fut moins en découvrant le montant du loyer mensuel.

— Qu'en penses-tu ? lança Mara d'un petit air triomphant.

— C'est excellent ! Je me demande seulement comment tu as bien pu faire...

— Peut-être est-ce la récompense d'une vie saine et régulière, insinua-t-elle en songeant à la manière dont il lui avait toujours reproché d'être trop vertueuse.

La repartie de sa fille fit sourire M. Prentiss.

— En tout cas, tu as une bien curieuse façon de remercier ce pauvre Harvey ! Le mettre à la porte dès que tu n'as plus besoin de lui...

Mara bondit sous l'insulte.

— Harvey sait fort bien à quoi s'en tenir ! Nos relations ont toujours été purement professionnelles. Et je ne vois pas pourquoi je serais obligée de dîner avec lui sous prétexte qu'il a bien fait son travail !

— Les dieux ne frayent pas avec de simples mortels comme nous... ironisa Adam. Je l'avais pourtant prévenu, mais il n'a pas tenu compte de mes avertissements.

Un instant, la jeune fille fut tentée de crier à son père d'arrêter de la ridiculiser. Mais, au prix d'un gros effort, elle parvint à se contrôler.

— Je ne m'inquiète pas pour Harvey, répliqua-t-elle d'un ton glacial. D'ailleurs, rassure-toi, il partage déjà ton opinion : pour lui, comme pour toi, je ne suis pas un être humain.

Il resta un long moment à la contempler. Une sorte d'appel silencieux émanait de son regard sombre. Mais Mara n'avait ni le cœur ni l'envie de chercher à en approfondir le sens.

En soupirant, il tourna son fauteuil et changea de sujet.

— Ainsi, vendredi prochain, tu seras officiellement promue propriétaire.

— Oui.

Machinalement, la jeune fille se mit à le pousser vers le bureau.

— J'irai en ville vendredi après-midi chercher les provisions dont M. Buchanan a besoin. S'il te faut quelque chose, préviens-moi. Je te le rapporterai.

— Comme une bonne petite fille aimante ?

— Tu en as eu une autrefois...

Elle n'eut pas besoin de préciser sa pensée. Ils s'étaient compris.

De retour de courses ce vendredi après-midi, Mara se hâta de décharger les paquets qui lui étaient destinés avant de se rendre au cottage pour y déposer les autres. Il était plus de trois heures. Elle s'était attardée plus que prévu.

Elle ouvrait la porte du réfrigérateur lorsque le fauteuil roulant de son père se profila à l'entrée de la cuisine.

— Tu es en retard. Je commençais à m'inquiéter... Il y avait du monde ?

— Un monde fou ! répondit la jeune fille en poursuivant sa tâche. M. Buchanan est-il arrivé pendant mon absence ?

— Non.

— Alors j'aimerais que tu me donnes les clés du cottage. Je vais déposer les achats dont il m'a chargée, et je reviens.

— Les voici.

Ce disant, il les sortit de la poche de son chandail rouge, dont la couleur faisait ressortir l'éclat de son regard sombre.

Une fois les provisions soigneusement rangées dans le réfrigérateur, Mara prit les clés et se dirigea vers la porte.

— Si M. Buchanan arrive avant que je ne sois de

retour, envoie-le directement au cottage par le chemin de derrière.

— Ce sera fait, répliqua tranquillement son père.

La demeure de briques rouges des Prentiss s'étendait sur un terrain boisé d'une cinquantaine d'hectares, au cœur de la Pennsylvanie. Du temps de l'ancien propriétaire, une centaine d'hectares supplémentaires destinés à la culture y avaient été adjoints. Mais lorsque le père de Mara avait acheté la propriété, quelque vingt années plus tôt, il avait préféré les revendre aussitôt pour ne garder que la partie boisée autour de la maison. Le bétail d'un fermier voisin se chargeait à intervalles réguliers du défrichage.

Le cottage était situé à l'autre extrémité du domaine. Il y avait deux moyens d'y accéder : par une allée de gravillons qui débouchait directement sur la route, ou par un chemin de terre qui serpentait à travers bois jusqu'à la maison principale. Par mauvais temps, le second devenait impraticable. Mais ce n'était pas le cas aujourd'hui.

Le break bringuebalait sur le chemin, faisant fuir les moutons du fermier voisin. Fort heureusement, une clôture les empêchait d'envahir la cour de la maison. Alentour, c'était une symphonie d'or et de pourpre. Un épais tapis de feuilles jonchait déjà le chemin, incitant Mara à la prudence.

La splendeur de l'été indien éclatait dans un ciel sans nuage. Mara se félicita d'avoir choisi ce pull ivoire, dont la légèreté convenait à merveille à la douceur de cette journée de septembre. Elle ignorait, en revanche, combien cette couleur claire mettait en valeur sa chevelure d'ébène et l'éclat velouté de ses yeux.

Au détour d'une courbe apparut le cottage, dont les abords immédiats étaient eux aussi protégés du bétail par une clôture. La jeune fille arrêta sa voiture devant l'entrée.

C'était une maison basse, au toit couvert de bar-

28

deaux. Le revêtement extérieur en cèdre teinté, les portes et les fenêtres couleur de pain brûlé se mariaient harmonieusement à l'environnement boisé.

Son sac de provisions sous le bras, Mara ouvrit la porte et entra. Une cheminée monumentale dominait toute la salle de séjour. Le mobilier, réduit pour l'instant au strict minimum, accentuait encore les proportions de la pièce.

A gauche se trouvait la cuisine, destination de Mara. Tous les placards avaient été soigneusement poncés et reteintés. Un coin-repas, une hotte et des casseroles de cuivre suspendues un peu partout contribuaient à créer une ambiance rustique et chaleureuse. Mara posa le premier sac et sortit chercher les autres restés dans le coffre de la voiture.

La troisième et dernière pièce du cottage était la chambre à coucher avec son cabinet de toilette attenant. L'exiguïté de ce dernier interdisait en effet de le compter comme une pièce à part entière.

En dépit de cette seule et unique chambre, le cottage, dans son ensemble, donnait une impression d'espace. Mais pour Mara, l'heure n'était pas à admirer son œuvre. Elle devait se hâter de ranger si elle ne voulait pas être surprise par l'arrivée inopinée du futur maître des lieux.

Le dernier sac était presque vide lorsqu'elle crut entendre une voiture. En tendant l'oreille, elle distingua le claquement d'une portière. Laissant là le paquet de café qu'elle tenait à la main, elle se précipita à la fenêtre dans l'espoir d'apercevoir le nouvel arrivant. Mais à peine avait-elle entrevu un homme de haute stature aux cheveux grisonnants, qu'il disparut de sa vue.

Sans savoir pourquoi, elle se sentit soulagée de penser qu'il s'agissait d'une personne d'âge mûr. En entendant frapper, elle redressa instinctivement les épaules. Sa légendaire réserve avait repris possession d'elle comme une seconde peau.

29

A la vue de l'homme qui se tenait sur le seuil, son sourire se figea sur ses lèvres. Il ne ressemblait en rien à l'image qu'elle s'en était faite : un visage bronzé où étincelaient deux yeux d'un bleu insolent, une carrure impressionnante accentuée par la chemise à col ouvert... Mise à part son insolite chevelure grise, il n'avait rien du vieux monsieur distingué qu'elle avait imaginé.

Mais elle n'était pas la seule à être surprise. A en juger par la façon dont il la dévisageait, il ne s'attendait visiblement pas à la trouver là. Peut-être faisait-il erreur ? Mara se raccrocha à cette hypothèse.

— Monsieur Buchanan ? hasarda-t-elle.

— Oui. M. Prentiss, que je viens de rencontrer, m'a envoyé ici. Seriez-vous sa fille ?

Le charme de cette voix grave troubla Mara plus qu'elle n'aurait su le dire. Pour masquer son émotion, elle se mura davantage encore dans sa réserve.

— En effet. Je suis Mara Prentiss.

Une poignée de main s'imposait. Elle lui tendit la sienne et la retira presque aussitôt. Si fugitif soit-il, ce contact avait suffi à lui faire prendre conscience de la redoutable sensualité qui émanait de cet homme.

— Je ne sais pourquoi, remarqua-t-il d'un air amusé, je m'attendais à voir l'épouse de votre père ou sa sœur...

— Ma mère est morte, déclara-t-elle sèchement.

— Attendez... « M. Prentiss », c'est donc Mara Prentiss ?

Il faisait allusion à la signature figurant au bas du contrat.

— En effet.

Instinctivement, la jeune fille s'était redressée pour faire face à la stature imposante de son interlocuteur. Dans le regard d'azur de ce dernier naquit une lueur malicieuse. Mara frissonna. On aurait dit l'expression d'un chat prêt à fondre sur sa proie.

— Je présume que tout est prêt pour me recevoir ? s'enquit-il.

Elle s'aperçut alors qu'elle ne l'avait pas encore fait entrer, et s'effaça pour le laisser passer.

— Oui, je vous attendais. Je terminais de ranger les provisions.

Elle allait le suivre à l'intérieur lorsqu'une voix féminine les arrêta.

— Sin chéri, dois-je commencer à décharger les bagages ?

Mara glissa un regard en direction de la voiture gris métallisé stationnée juste devant la sienne. Une créature à l'incendiaire chevelure rousse émergeait du siège passager. Largement échancré, son chemisier de soie blanche ne laissait rien ignorer d'une gorge particulièrement généreuse. En dépit d'un pantalon bleu, lui aussi très suggestif, l'impression dominante était celle d'une sophistication de bon ton.

— Laissez, répondit-il. Je m'en occuperai plus tard.

Mara s'en voulut de n'avoir pu réprimer un mouvement de surprise en découvrant la compagne de Sinclair Buchanan. Fascinée par cet homme, elle en avait oublié qu'il pouvait ne pas être seul. Pourquoi, aussi, ne s'était-elle pas manifestée plus tôt ? La plupart des femmes auraient montré plus d'impatience à visiter leur future maison de week-end.

Debout au milieu de la pièce, son locataire attendait patiemment qu'elle lui fasse les honneurs du cottage. Jusqu'à présent, il n'en avait vu que des photographies.

— Voici le living-room, dit la jeune fille un peu précipitamment en se reprochant de manquer à tous ses devoirs.

Il couvrit la pièce d'un regard circulaire sans qu'elle puisse déceler s'il était déçu ou, au contraire, agréablement surpris. Pour parer à toute éventualité, elle crut bon de s'excuser.

— Comme M. Bennett vous l'a dit, l'aménagement

du cottage n'est pas tout à fait terminé. Si vous désirez quelques meubles supplémentaires...

— Non, coupa-t-il, je m'en occuperai moi-même. Peut-on se servir de la cheminée ?

— Bien sûr. Le conduit a été ramoné et le tirage soigneusement vérifié. Pour plus de sûreté, M. Bennett et moi-même avons allumé un feu il y a quelques jours pour nous assurer personnellement de son bon fonctionnement.

A en juger par son air narquois, il la soupçonnait fort d'avoir voulu se ménager un tête-à-tête avec son agent immobilier. Elle jugea inutile de l'en détromper.

— Où peut-on trouver du bois ? s'enquit-il enfin.

— Derrière le cottage. Vous pouvez également ramasser tout le bois mort que vous voulez dans la forêt alentour. Sous réserve, naturellement, de ne pas vous attaquer directement aux arbres...

Ce-disant, elle le vit, nu jusqu'à la ceinture, en train de débiter en bûches un chêne fraîchement abattu. Elle distinguait jusqu'aux gouttes de sueur qui perlaient sur son torse et sur ses bras puissants. L'image s'évanouit aussi vite qu'elle était venue, mais lui laissa cependant un arrière-goût de malaise. Pourquoi cette soudaine émotion qu'elle ne pouvait réfréner ?

Pour faire diversion et échapper à l'emprise de son imagination vagabonde, elle se retourna en souriant vers la jeune femme qui venait à son tour de pénétrer dans le cottage. Mais celle-ci ne lui accorda pas un regard.

Sous la chevelure rousse, les yeux noisette pétillaient d'excitation. Arrivée à la hauteur de Sinclair Buchanan, elle glissa son bras sous le sien avec enthousiasme.

— Quel endroit délicieux, Sin ! Si pittoresque ! Que diriez-vous d'un canapé « Chesterfield » devant la cheminée ? Je m'y vois déjà ! Comme ça va être amusant de tout décorer nous-mêmes !

L'homme couvrit sa compagne d'un regard indulgent

doublé d'amusement. Une masse de cheveux roux vint se nicher au creux de son épaule. Mara commençait à se sentir de trop.

— Soyez franche, Célène. N'est-ce pas plutôt la perspective de dépenser mon argent qui vous réjouit tant ?

Mi-taquin, mi-sarcastique, le ton oscillait entre l'amour et la cruauté. La vérité était affaire d'interprétation.

La jeune femme nommée Célène n'hésita pas une seconde et choisit la première possibilité. Les humeurs de Sinclair Buchanan n'avaient manifestement pas de secret pour elle.

— *Votre* argent, Sin ? Mais mon cher, vous n'y êtes pas du tout ! Vous savez bien que j'adore dépenser l'argent des autres, *quels qu'ils soient*... Sur ce point, je me flatte d'être on ne peut plus impartiale !

Avec un rire moqueur, elle ajouta :

— Si nous visitions le reste de la maison, qu'en dites-vous ?

Avant de répondre, le jeune homme se tourna vers Mara. Il y avait une sorte d'appel dans ses yeux. Une nouvelle fois, la propriétaire des lieux eut la désagréable impression d'être de trop.

— Dois-je vous accompagner, ou préférez-vous continuer la visite sans moi ? lança-t-elle pour en avoir le cœur net.

— Rassurez-vous, nous ne nous perdrons pas ! lui répondit-il sèchement.

Un rire cinglant lui fit écho. C'était celui de Célène.

— Je l'espère bien !

— Dans ce cas, murmura froidement Mara, si vous voulez bien m'excuser, je vais finir de ranger les provisions... à moins que vous ne désiriez vous en occuper vous-même ! ajouta-t-elle insidieusement à l'adresse de la rousse incendiaire.

— Oh, non! Miss Prentiss, continuez, je vous en prie!

C'était la voix de Sinclair Buchanan.

— Célène est parfaitement inopérante pour tout ce qui touche à la cuisine.

La jeune femme incriminée ne se vexa pas pour autant.

— Sin me connaît bien, soupira-t-elle en tournant son regard lumineux vers Mara. Mais j'ai d'autres talents, rassurez-vous...

— Je n'en doute pas, rétorqua sèchement la jeune fille.

Sinclair chuchota alors quelque chose à l'oreille de sa compagne, ce qui lui valut une joyeuse réprimande. Peu désireuse d'en entendre davantage, Mara en profita pour s'éclipser à la cuisine.

Mais le cottage n'était pas assez vaste pour lui permettre d'ignorer le tendre conciliabule qui se déroulait dans la chambre voisine. Pour tromper son agacement, elle redoubla d'ardeur dans sa tâche.

Elle en était à ranger la farine dans le placard prévu à cet effet, lorsque le couple fit à son tour irruption dans la cuisine.

— Voilà votre domaine, Sin, déclara sa compagne. Je vous laisse l'inspecter tout à loisirs. Pendant ce temps, je retourne chercher quelque chose à la voiture. J'en ai pour une minute!

La jeune femme partie, Sin Buchanan entreprit de faire le tour des lieux. Mara avait beau s'ingénier à fourrager dans le sac à la recherche des dernières provisions, elle était consciente de ses moindres faits et gestes. Il vérifiait tous les appareils, ouvrait les placards, inspectait le réfrigérateur. Et sa chevelure argentée agissait sur elle comme un phare.

— Je pense ne rien avoir oublié, dit-elle pour meubler le silence. Si vous avez des difficultés à trouver quelque chose, n'hésitez pas à m'appeler.

— J'en doute fort ! Tout est parfaitement à sa place.

C'était plus une constatation qu'un compliment.

Lorsqu'elle eut terminé de ranger les conserves, il avait regagné le living-room. Son entrée coïncida avec le retour de Célène. De la cuisine, Mara ne pouvait faire autrement que d'entendre leur conversation.

— Des verres, vite ! s'écriait l'arrivante. J'ai apporté du champagne pour fêter le nouveau cottage. Il est glacé à point. La glacière a parfaitement fait son office ! Ouvrez-le sans attendre, Sin, je vous en prie.

Occupée à disposer herbes et épices sur l'étagère qui leur était réservée, Mara essayait vainement de rester sourde au dialogue qui se déroulait dans la pièce voisine.

— Peut-être aurions-nous pu attendre un peu pour fêter l'événement ?

Le bruit sec du bouchon de champagne rendit la question de Sin sans objet.

— Pourquoi attendre davantage ? s'exclamait déjà Célène. Pensez donc... le premier week-end où je vous ai enfin tout à moi. Pas de téléphone, pas de travail urgent à terminer, pas d'importuns...

Elle proposa un toast.

— A notre premier week-end seuls, Sin !

Un tintement de cristal, et ce fut le silence. Une voix intérieure ordonnait à Mara de ne pas trahir sa présence, mais c'était plus fort qu'elle. Les flacons s'entrechoquaient régulièrement sur l'étagère à épices.

— Savez-vous ce que nous devrions faire, chéri ?

Sans laisser la moindre chance à Sin de répondre, Célène poursuivit.

— Une bonne flambée dans la cheminée. Alors nous nous étendrons devant le feu et...

Le reste de sa suggestion se perdit dans un murmure.

Mara ne put en supporter davantage. Un dernier flacon de persil séché restait encore dans le sac. Elle le rangea prestement au milieu des autres et quitta la cuisine.

Sur le seuil du living-room, elle hésita. Sin et Célène se tenaient enlacés devant la cheminée. Tous deux avaient posé leur coupe de champagne pour un baiser qui semblait devoir ne jamais finir. La voluptueuse rousse avait noué ses bras autour du cou de Sin, qui la pressait tendrement contre lui. L'un et l'autre étaient trop absorbés pour remarquer la présence de l'intruse.

Sur le point de rebrousser chemin dans la cuisine, Mara se ravisa. Pourquoi s'enfuir comme si leur baiser la mettait mal à l'aise ? Si quelqu'un devait se sentir gêné ici, c'était bien eux ! Forte de cette décision, elle s'avança dans la pièce.

— Excusez-moi, mais j'ai terminé. Je vous laisse...

Sans hâte aucune, comme s'ils n'étaient nullement surpris de cette intrusion, les deux jeunes gens se détachèrent l'un de l'autre. Une lueur satisfaite brillait dans les yeux de Célène lorsqu'elle répondit d'une voix nonchalante :

— Désolée, Miss Prentiss, j'ai peur que nous ne nous soyons laissé entraîner un peu loin. La joie de se retrouver, vous comprenez...

Sinclair, pour sa part, dégustait tranquillement son champagne. Mara ne put se défendre de penser que si c'était vrai pour sa partenaire, c'était moins flagrant pour lui. Il n'était pas le genre d'homme à se laisser dominer par ses passions.

— Inutile de vous excuser, murmura-t-elle avec un sourire qui n'en était pas un.

Sinclair Buchanan s'avança vers elle, les mains dans les poches, l'air apparemment désinvolte. Mais ce n'était qu'une façade, Mara ne tarda pas à le comprendre.

— Je ne vous ai pas remerciée pour vous être occupée de notre ravitaillement du week-end.

— Ce n'est pas nécessaire, monsieur Buchanan. Vous m'avez suffisamment dédommagée pour cela.

Avant de prendre congé, la plus élémentaire courtoisie l'obligea à ajouter.

— J'espère que le cottage est à votre goût. Si vous ou votre femme avez besoin de renseignements complémentaires, n'hésitez surtout pas à m'appeler.

Célène éclata de rire en se tournant vers Sin.

— Vous avez entendu, chéri ? Elle nous prend pour des jeunes mariés !

— Oui.

L'amusement de Sin était beaucoup plus pondéré.

— Je me demande où elle a bien pu prendre cette idée...

Mara releva fièrement le menton, mais s'abstint de tout commentaire. Elle s'était déjà méprise une fois. Inutile d'aggraver son cas...

— C'est ma faute, Miss Prentiss !

Toute l'attitude de Sin démentait ses paroles. Il n'avait pas l'air confus le moins du monde. Ce qui ne l'empêcha pas d'ajouter.

— J'aurais dû vous présenter Célène dès notre arrivée. Miss Prentiss, voici Célène Taylor, une amie à moi. Célène, Mara Prentiss.

— Enchantée de vous connaître, Miss Taylor.

Mara dut se contenter d'un sourire distrait pour toute réponse.

— Célène est venue passer le week-end avec moi, renchérit le nouveau locataire. Si je me souviens bien, il n'y avait aucune restriction dans le contrat concernant les éventuelles visites d'amis ?...

— Aucune, naturellement ! rétorqua sèchement la jeune fille. Je me permets seulement de vous rappeler que le cottage ne compte qu'une seule chambre.

A peine formulée, elle regretta cette dernière remarque. La fameuse lueur diabolique venait de réapparaître dans les yeux de Sin.

— Je sais, Miss Prentiss. Car je ne me trompe pas en vous appelant « Miss », n'est-ce pas ?

Il se moquait une nouvelle fois de sa naïveté.

— Non, pas du tout.

Mara essayait désespérément de jouer l'indifférence.

— Vous avez vos bagages à décharger, aussi ne vais-je pas vous retarder plus longtemps. Au revoir, monsieur Buchanan. Miss Taylor...

Elle allait tourner la poignée de la porte lorsqu'une voix masculine l'arrêta.

— Etes-vous sûre de ne rien oublier, Miss Prentiss ?

Profondément déconcertée, elle jeta un regard par-dessus son épaule.

— Je vous demande pardon ? Oublié quoi ?

— La clé du cottage, répliqua Sin. J'ai peur d'en avoir besoin un jour ou l'autre...

Mara sortit le trousseau de sa poche en se maudissant de son étourderie. L'homme s'était porté à sa rencontre. Elle lui jeta les clés plus qu'elle ne les lui tendit.

La colère l'aveuglait. Pourquoi la regardait-il de cet air railleur ? Jamais elle ne s'était sentie aussi impuissante...

— Merci, fit-il en refermant ses doigts sur les clés.

Dans un sursaut de dignité, Mara tourna les talons et s'efforça de sortir à pas mesurés du cottage. En posant la main sur la clé de contact de sa voiture, elle s'aperçut qu'elle tremblait.

3

Tout le temps du retour, Mara ne cessa de ruminer sa rancœur. Sinclair Buchanan avait le don de la ridiculiser, et elle n'appréciait pas du tout... Comme elle avait eu raison de penser que tout cela était trop beau pour être vrai ! Pourquoi diable avait-elle écouté Harvey ? Louer le cottage sans renconter au préalable son futur locataire était une grossière erreur.

Non qu'une première entrevue eût changé grand-chose... songea-t-elle en arrêtant sa voiture devant la demeure de briques rouges. « Sin chéri » n'aurait sans doute pas jugé opportun d'amener sa maîtresse à un rendez-vous avec sa propriétaire... Et, après tout, libre à lui d'avoir toutes les maîtresses qu'il voulait ! Ce n'est certes pas elle qui irait l'en blâmer. Tout le monde avait beau la traiter de prude, le comportement des autres lui importait peu !

Claquant la porte derrière elle, Mara lança ses clés de voiture sur la table de la cuisine. Rien de tout cela ne serait arrivé si elle n'avait pas perdu autant de temps à faire les courses. Rentrée à l'heure dite, elle se serait contentée de donner les clés à Sin comme prévu, s'évitant ainsi bien des désagréments.

— Mara ?

Son père venait d'entrer dans la cuisine. Elle s'empara précipitamment du sac de provisions resté sur la table et commença à ranger.

— Un certain Buchanan s'est arrêté ici. Je l'ai envoyé directement au cottage comme tu me l'avais demandé. Tu l'as vu ?

— Oui, répondit-elle sans plus de commentaires.

— La maison leur plaît-elle ? J'ai cru apercevoir une femme dans la voiture. Elle m'a semblé d'une beauté éclatante, mais peu faite, je l'avoue, pour ce genre d'habitation au cœur des forêts de Pennsylvanie.

— Eh bien, détrompe-toi, elle a « a-do-ré- » !

Mara avait employé à dessein ce terme un peu fort, qui lui semblait on ne peut mieux convenir à la créature exubérante de tout à l'heure.

— Mais elle n'est pas sa femme...

La sécheresse de sa voix et la fébrilité avec laquelle elle ouvrait et fermait les placards alertèrent Adam Prentiss.

— Pas sa femme ? Tu veux dire...

Un sourire amusé se dessina sur ses lèvres.

— Rien de plus naturel que d'amener avec soi de quoi meubler ses longues heures de loisirs !

Mara claqua violemment la porte de l'un des placards qu'elle venait d'ouvrir.

— Tu ne changeras jamais ! Ta grossièreté me fait horreur !

La vision de son nouveau locataire et de sa maîtresse enlacés devant le feu venait de ressurgir à sa mémoire.

Un profond silence lui répondit. Lorsqu'enfin son père se décida à parler, toute trace d'amusement avait disparu de sa voix.

— Pourquoi voir de la grossièreté là où il n'y en a pas, Mara ? La sexualité n'a rien de choquant, c'est même une très belle chose...

— Je n'ai que faire de tes sermons en la matière ! répliqua-t-elle d'un ton cassant.

Avec un soupir, son père se résigna à quitter la

cuisine. Les mains crispées sur la table, elle écouta décroître le bruit du fauteuil roulant.

Il ne lui restait qu'à rayer de son esprit le cottage et ses habitants. Et elle s'y appliqua le soir même et toute la journée du lendemain.

Le dimanche matin, comme à son habitude, elle se leva tôt. Sa première tâche fut de préparer le café avant de se rendre à la boîte aux lettres pour y chercher le journal. A son retour, son père était réveillé. Elle l'aida à enfiler sa robe de chambre et poussa le fauteuil roulant jusqu'à la cuisine, d'où leur parvenait la bonne odeur du café fraîchement préparé.

Tous deux le dégustèrent en silence, accompagné d'un jus d'orange et d'œufs au bacon que la jeune fille venait de faire griller. La routine reprenait son cours.

Le petit déjeuner terminé, Mara se leva pour rincer la vaisselle à l'eau claire tandis que son père s'absorbait dans la lecture des nouvelles du jour.

Elle laissait distraitement errer son regard par la fenêtre lorsqu'elle crut distinguer une tache bleue au milieu de l'étendue boisée. Au fur et à mesure que le point se rapprochait, elle reconnut Sin Buchanan. Vêtu d'un survêtement bleu ciel, il courait allègrement le long du chemin jonché d'ornières. A en juger par la régularité de ses foulées, il ne semblait pas peiner le moins du monde. Les muscles saillaient sous l'étoffe ; cet homme à la chevelure prématurément grisonnante lui apparaissait comme un parfait symbole de virilité et de puissance.

Mara s'attendait à le voir disparaître derrière la maison lorsqu'elle le vit obliquer en direction de la porte d'entrée. Les nerfs à fleur de peau, elle redoubla d'ardeur dans sa tâche. Que venait-il faire ici ?

En entendant le coup de sonnette, son père laissa tomber son journal.

— Je me demande qui ce peut bien être, murmurat-il d'un air songeur.

— Je vais voir, rétorqua Mara en s'essuyant les mains à son tablier.

En gagnant la porte, elle essaya de se composer un visage. Comme elle s'y attendait, Sin Buchanan se tenait sur le seuil lorsqu'elle ouvrit. A le voir si décontracté, elle éprouva une brusque envie de fuir.

Mais elle était déjà sous l'emprise de ce regard bleu qui la pénétrait jusqu'à l'âme. Un dynamisme insolent émanait de son interlocuteur, dont le souffle égal traduisait qu'il n'avait absolument pas souffert de sa course.

— Bonjour, Miss Prentiss...

Elle crut déceler dans la voix grave une intonation sardonique.

— Qu'y a-t-il pour votre service, monsieur Buchanan ?

Eludant les salutations, elle lui faisait sentir qu'elle n'avait pas de temps à perdre.

Il allait répondre lorsque la voix d'Adam retentit derrière eux.

— Ne laisse pas ce monsieur à la porte, Mara ! Invite-le à entrer !

Si désireuse que fût la jeune fille d'ignorer sa remarque, elle ne le pouvait pas. Elle crispa instinctivement les doigts sur la poignée de la porte. Pourquoi fallait-il toujours que son père intervienne ? Son entretien avec Sin Buchanan ne regardait qu'elle !

La fraîcheur de cette matinée d'automne eut raison de ses dernières hésitations. Elle n'allait tout de même pas risquer d'attraper froid par la faute de cet impudent personnage ! Et Dieu sait ce qu'il irait penser s'il la voyait parler affaires en claquant des dents !

Mara ouvrit la porte à regret.

— Je vous en prie, monsieur Buchanan, entrez...

Nulle trace de courtoisie dans sa voix. Elle tolérait sa présence, rien de plus.

— Merci. J'espère que je ne vous dérange pas...

Simple formule de politesse, mais elle laissait clairement entendre qu'il n'était pas dupe.

Mara était bien décidée à ne pas le détromper, mais son père, une fois encore, jugea bon d'intervenir.

— Nous déranger? Mais pas du tout, monsieur Buchanan! Nous venons précisément de terminer notre petit déjeuner. D'ailleurs, il doit rester du café, n'est-ce pas, Mara? Pourquoi n'en offrirais-tu pas une tasse à notre hôte?

Elle lança à son père un regard lourd de reproches.

— Je suis certaine que M. Buchanan a déjà pris son petit déjeuner!

— Eh bien, justement, rétorqua l'autre avec un malin sourire, je suis parti ce matin sans rien prendre...

— Tu vois, Mara. Sers donc une tasse de café à ce monsieur!

— J'ai peur qu'il ne reste que le fond de la cafetière, rétorqua la jeune fille d'un air maussade.

— Aucune importance, je m'en contenterai! s'écria Sinclair en se tournant vers le père de Mara. C'est très aimable à vous, monsieur Prentiss.

— Je vous en prie, appelez-moi Adam.

D'un geste, l'infirme l'invita à prendre place autour de la table de la cuisine.

— Vous êtes notre plus proche voisin, maintenant, et j'ai horreur des formalités entre voisins!

— Je partage tout à fait votre opinion. Permettez-moi néanmoins de me présenter, car je ne crois pas l'avoir fait vendredi. Sinclair Buchanan.

A cet instant, Mara posa devant lui un bol de café fumant.

— Mais vos amis vous appellent « Sin », n'est-ce pas?

Il leva vers elle un regard d'azur dans lequel brillait une lueur de défi.

— C'est exact.

Après avoir absorbé une gorgée de café, il se tourna vers le père de la jeune fille..

— Adam Prentiss... J'ai l'impression d'avoir déjà entendu ce nom quelque part.

L'infirme était en train d'observer sa fille. A l'appel de son nom, il reporta son attention sur le jeune homme en face de lui.

— C'est possible. On me prête une certaine notoriété dans la région. Je suis en quelque sorte un historien local.

— Adam est trop modeste ! intervint Mara. En fait, c'est un historien très connu de la guerre de Sécession !

— Voilà donc pourquoi j'avais l'impression de vous connaître ! rétorqua vivement Sinclair sans tenir compte de l'aigreur de cette dernière remarque. Un de mes meilleurs amis est passionné de cette période de l'Histoire. Sans doute a-t-il fait mention de votre nom au cours d'une de nos conversations.

Il avait réussi à piquer la curiosité de Mara qui s'entendit demander d'un ton sceptique :

— Miss Taylor, peut-être ?

— Non.

Sin avait décidément l'air de s'amuser beaucoup.

— J'ai dit « un » ami, pas « une » amie...

La jeune fille eut le désagréable sentiment de s'être laissé prendre au piège. Quel homme détestable ! Elle se promit de se montrer plus vigilante à l'avenir. Mais pour l'heure, Sinclair avait repris son dialogue avec Adam.

— Si mes souvenirs sont exacts, mon ami John a mentionné votre nom à propos d'un ouvrage qu'il avait lu récemment sur la bataille de Gettysburg.

— C'est fort possible. Je suis en effet l'auteur d'un livre sur le sujet. Je ne vous cacherai pas qu'il est pour moi d'un grand réconfort d'apprendre que j'ai encore des lecteurs et que ce volume ne croupit pas, comme tant d'autres, sur les rayonnages d'une bibliothèque...

— Je vous avouerai, pour ma part, que je suis assez ignorant en la matière, déclara Sin Buchanan qui ne cachait pas son intérêt pour cette période de l'histoire américaine.

— En perdant la bataille de Gettysburg, crut bon d'expliquer Adam, le Sud avait déjà perdu la guerre, même si celle-ci a encore duré deux ans.

— Je ne crois pas que M. Buchanan soit venu ici pour entendre un cours sur la bataille de Gettysburg, coupa sèchement Mara.

Elle se tourna froidement vers son locataire.

— Vous désiriez m'entretenir de quelque chose, je crois ?

C'était une manière à peine détournée de lui rappeler le but de sa visite.

— En effet.

Sous ses airs nonchalants, elle sentit qu'il se moquait d'elle, et cela ne fit que renforcer l'animosité qu'elle nourrissait à son égard.

— J'aimerais avoir quelqu'un pour assurer l'entretien du cottage pendant mon absence et le tenir prêt à chacune de mes visites.

— Je vois, murmura-t-elle dans l'attente de ce qui allait suivre.

— Comme je suis nouveau dans la région, j'ai pensé que vous seriez mieux qualifiée que moi pour trouver la personne qui convient...

— Vous me voyez flattée de votre confiance, mais je ne vois personne susceptible de s'en charger.

Elle avait mis dans sa voix tout le sarcasme dont elle était capable.

— Cependant, en tant que propriétaire, vous avez intérêt, tout autant que moi, à voir le cottage régulièrement entretenu...

Malgré son hostilité, Mara dut reconnaître que le raisonnement de Sin ne manquait pas de logique.

— J'en conviens aisément, mais le problème n'est pas

là. Personne n'acceptera jamais de venir travailler ici. Nous sommes trop loin du village !

Sa remarque ne suscita pas de réponse immédiate. Fascinée, elle regardait Sin déguster son café à petites gorgées. Les mains surtout la captivaient : des mains expressives et fortes, brunies par le soleil. Une intense émotion la saisit qu'elle tenta vainement de refouler. En levant les yeux, elle vit que son père les observait, Sin et elle, avec un intérêt grandissant. La présence d'Adam aggravait encore la situation.

— Je sais que la tâche n'est pas facile, Miss Prentiss...

Sin venait de reposer sa tasse sur la table.

— Mais soyez certaine que je saurai vous dédommager de votre peine.

— Je n'en doute pas, répliqua-t-elle sèchement.

Décidément, l'argent ne semblait pas être un problème pour lui.

— En attendant, reprit-il, j'aurais besoin de quelqu'un pour veiller sur le cottage durant la semaine. Je ne sais si je peux demander ce genre de service à ma propriétaire...

Un semblant de sourire se dessina sur ses lèvres.

— Mais vous êtes incontestablement la mieux placée pour cela ! Et si, par la même occasion, vous pouviez remettre un peu d'ordre et veiller à faire le plein de provisions avant mon arrivée, je vous en serais infiniment reconnaissant.

Il ne manquait pas d'audace ! Mara hésita. Elle n'avait guère d'autre choix. Refuser, c'était courir le risque de voir la poussière s'amonceler à l'intérieur du cottage et des mois de travaux réduits à néant. Elle ne put supporter cette idée.

— En attendant de trouver une personne compétente, je veux bien m'occuper temporairement du cottage...

Sans le savoir, elle s'était exprimée comme si elle lui accordait une énorme faveur.

46

— Merci, Miss Prentiss.

Sin arborait toujours le même air moqueur, et la jeune fille en fut doublement agacée.

— Peut-être serait-il bon que je sache quelles qualités vous exigez d'une femme de ménage ? lança-t-elle en réprimant à grand-peine son irritation.

— Je vous fais confiance. Vous êtes mieux qualifiée que moi pour régler ce genre de problèmes...

— Alors dites-moi au moins combien vous voulez la payer ?

— J'ignore le tarif en vigueur dans la région. Que me conseillez-vous ?

— A raison de deux heures de ménage le lundi et deux heures le vendredi pour aérer la maison et faire le plein des provisions, je pense qu'un salaire de trente dollars par semaine — y compris les indemnités de déplacement — serait tout à fait correct. Seriez-vous prêt à payer cette somme, monsieur Buchanan ?

— Dès lors que j'obtiens satisfaction, le salaire m'importe peu !

Ce suprême détachement porta l'irritation de Mara à son comble. D'une voix coupante, elle déclara :

— Très bien, l'affaire est donc réglée. Vous aviez autre chose à me demander ?

A ces mots, elle se leva pour bien faire sentir à son interlocuteur que l'entretien était terminé.

— Non, c'est tout. Merci pour le café !

A son tour, il s'était levé et la dominait de toute sa hauteur.

— Inutile de vous presser ! protesta aimablement Adam Prentiss.

Mara se tourna vers son père. Un feu couvait dans ses yeux sombres.

— M. Buchanan doit être impatient de rassurer Miss Taylor... Elle doit se demander où il est passé !

— Lorsque je suis parti, Célène dormait encore.

On aurait dit que Sin prenait un malin plaisir à révéler ce genre de détails.

— C'est une lève-tard. Je crains même d'être obligé de la réveiller à mon retour...

Une image s'imposa aussitôt à l'esprit de Mara qui fut prise d'un accès de colère irraisonnée.

— Elle en sera ravie, je n'en doute pas !

Sur cette remarque acerbe, elle se dirigea vers la porte dans l'intention de raccompagner son visiteur. Mais celui-ci s'attarda quelques minutes encore pour dire au revoir à M. Prentiss.

— J'ai été enchanté de faire votre connaissance, Adam !

— Tout le plaisir a été pour moi. Comme vous pouvez le voir, je ne peux plus guère bouger maintenant !

Le père de Mara tapota le bras de son fauteuil roulant. C'était une simple constatation. Il n'implorait pas la pitié.

— Mais revenez aussi souvent qu'il vous plaira. J'en serai ravi !

— J'essaierai, je vous le promets ! répliqua Sin avec un regard amusé en direction de Mara.

Il n'était pas dupe et savait fort bien que la jeune fille ne partageait pas le désir de son père.

— Au revoir, Miss Prentiss...

— Au revoir, monsieur Buchanan, et... bonne journée ! ajouta-t-elle d'un ton sarcastique.

Comme il passait devant elle, elle sentit les effluves d'un parfum viril où se mêlaient l'après-rasage et le tabac.

Etrangement troublée, elle referma la porte et regagna la cuisine à pas lents.

— Autant te prévenir tout de suite, Adam : je ne veux pas que ce monsieur prenne l'habitude de venir ici. Afin d'éviter toutes complications, nos relations doivent rester celles d'un propriétaire et de son locataire.

— Pourquoi cette mise en garde ? rétorqua son père l'air exaspéré. Sin me paraît parfaitement conscient de cet état de choses.

— En tout cas, n'essaie pas de t'en faire un ami, renchérit sèchement la jeune fille.

— Et pourquoi, s'il te plaît ? Jusqu'à présent, tu ne t'es jamais souciée de savoir qui j'avais pour amis. Qu'as-tu donc contre Sin Buchanan ?

Adam paraissait fort intrigué par l'attitude de sa fille. Celle-ci entreprit d'essuyer un plat qui séchait sur l'égouttoir.

— Je viens de te le dire. On ne doit pas mélanger les affaires et l'amitié.

— Tu sembles oublier, Mara, qu'il n'a jamais été question d'affaires entre Sin et moi : c'est à *toi* qu'il loue le cottage, pas à moi. Ton argument ne tient pas.

— C'est peut-être à moi qu'il loue le cottage, répliqua la jeune fille d'une voix cinglante, mais je ne veux pas de lui dans cette maison, c'est bien clair ?

Adam esquissa un sourire.

— Il t'ennuie, n'est-ce pas ?

Du coin de l'œil, il observait sa réaction.

— Je ne vois pas ce que tu veux dire, dit-elle en redoublant d'énergie pour essuyer le plat qu'elle avait à la main.

— Non, en effet... c'est fort possible.

Un silence s'ensuivit que Mara s'empressa de rompre. Elle n'avait aucune envie d'approfondir cette dernière remarque.

— Que vas-tu faire si Sinclair Buchanan se représente à nouveau ici ?

— En tant que voisin, je peux difficilement éviter de l'inviter à entrer, constata tranquillement M. Prentiss.

Elle se tourna vers lui d'un air furieux.

— Tu le ferais, après ce que je viens de te dire ?

— Sans aucun doute, et je m'en réjouis à l'avance.

— Tu oublies que tu es ici chez moi ! lui rappela-t-elle froidement.

— Et alors ? J'ai tout de même le droit d'y avoir mes propres invités, il me semble ? D'ailleurs, tu n'as jamais interdit à qui que ce soit de venir me rendre visite. Pourquoi ferais-tu une exception pour Sin ?

Il lui jeta un regard inquisiteur qui mit la jeune fille mal à l'aise.

— Les circonstances sont différentes, observa-t-elle en restant sur ses positions.

— Pas du tout ! D'ailleurs, la plupart du temps, lorsque quelqu'un vient me voir, tu disparais dans ta chambre. Je ne vois pas pourquoi tu n'en ferais pas autant si jamais Sin exprime un jour le désir de me rendre visite !

— Pour qu'il croie que je me cache ? Je n'ai pas peur de lui ! affirma-t-elle d'un ton péremptoire.

Mais il en fallait plus pour abuser son père.

— Ah non ? Eh bien, en tout cas, une chose est sûre : il ne te laisse pas indifférente !

Sur ce, il tourna son fauteuil roulant vers la porte et disparut dans la pièce voisine, son journal sur les genoux.

Mara était suffoquée. Depuis l'accident de son père, c'était la première fois qu'il lui tenait tête. D'habitude, il lui cédait toujours... Et tout cela pour Sin Buchanan, un étranger qu'il ne connaissait pas une heure plus tôt !...

4

Lorsque Mara arriva au cottage le lundi matin, elle eut la surprise de le trouver parfaitement en ordre. Pas d'assiettes sales traînant dans l'évier, ni de lit défait. Pas de magazines négligemment éparpillés dans le living-room. La liste de courses à faire pour le prochain week-end était posée bien en évidence sur le réfrigérateur. Une heure lui suffit pour essuyer la poussière et passer un rapide coup d'aspirateur.

A la suite d'une annonce passée dans le journal local, trois candidates se présentèrent chez elle cette semaine-là. Mais sur les trois, deux n'avaient pas de moyen de transport et la dernière lui fit mauvaise impression. Aussi se retrouva-t-elle, le vendredi suivant, à faire elle-même le plein de provisions et à aérer le cottage avant l'arrivée de son locataire. Mais cette fois, elle prit garde de terminer de bonne heure afin de ne pas risquer de le rencontrer.

Le samedi et le dimanche matin, elle l'aperçut par la fenêtre de la cuisine faisant son « jogging ». Par deux fois, il leva la main dans sa direction, mais elle fit mine de l'ignorer et se garda d'en souffler mot à son père.

Le lundi matin, à son arrivée au cottage, elle trouva celui-ci métamorphosé : un canapé de cuir, agrémenté d'une confortable couverture de fourrure, faisait face à la cheminée. Quant au carrelage, il était recouvert d'un superbe tapis de haute laine dont les tons naturels se fondaient harmonieusement avec les couleurs de la pièce.

Une bergère ancienne voisinait avec une table basse et une lampe en bois sculpté du meilleur goût. Un bureau de chêne massif était adossé au mur, tandis que des scènes champêtres tapissaient çà et là les espaces restés libres.

Malgré elle, Mara dut reconnaître que l'ensemble était particulièrement réussi. Ce qui ne l'empêcha pas d'émettre une ou deux réserves sur des initiatives qui lui paraissaient davantage être l'œuvre de Célène que celle de Sin Buchanan.

Le ménage s'avéra encore plus rapide que la dernière fois. Une paire de draps de satin avait été disposée sur le lit. Elle les déplia, la rage au cœur, en songeant que c'était là un goût bien curieux pour un célibataire...

De retour chez elle, elle se garda bien d'informer son père des transformations intervenues au cottage. Depuis leur altercation de la semaine précédente, Adam et sa fille avaient banni Sin Buchanan de leurs conversations.

Elle était en train de préparer le déjeuner lorsque le téléphone sonna. Elle laissa à son père le soin de répondre, mais celui-ci ne tarda pas à l'appeler.

— Mara, c'est pour toi !

— Je suis occupée ! Demande si je peux rappeler plus tard...

— C'est un appel qui vient de loin. Tu ferais mieux de te presser !

— C'est bon. J'arrive tout de suite ! fit-elle en laissant là les légumes qu'elle était en train d'éplucher.

Qui cela pouvait-il bien être ? Un pli soucieux barrait son front lorsqu'elle pénétra dans le bureau. Adam lui tendit le récepteur sans mot dire. Une lueur moqueuse brillait dans ses yeux.

— Allô ? Mara Prentiss à l'appareil.

— Miss Prentiss ? Ne quittez pas, je vous prie...

Elle entendit au bout du fil la voix impersonnelle de l'opératrice :

— J'ai votre numéro, monsieur.

— Merci, mademoiselle. Miss Prentiss ? Ici Sin Buchanan...

La voix était si proche que Mara eut un instant l'illusion que son interlocueteur se trouvait dans la pièce. Elle était déjà sur le qui-vive.

— Comment allez-vous ? reprit son locataire.

— Bien, merci.

A question conventionnelle, réponse convention-nelle. Un coup d'œil à son père confirma à la jeune fille que celui-ci savait depuis le début d'où provenait l'appel. Elle lui tourna délibérément le dos.

— Alors, votre bras est guéri ?

— Mon bras ?

Décontenancée par la question, Mara fronça les sourcils.

— Oui, je croyais qu'il vous était arrivé un accident. Habituellement, lorsque l'on fait signe à quelqu'un, on s'attend à recevoir une réponse...

La constatation de Sin, faite sur un ton parfaitement désinvolte, provoqua la stupeur de la jeune fille. Elle resta un instant sans répondre.

— Vous n'allez tout de même pas me dire que vous m'appelez pour cela ? reprit-elle enfin.

— Si, et également pour savoir où vous en êtes de vos recherches concernant ma femme de ménage.

« Voilà donc le véritable motif de son appel ! » songea Mara. La première remarque n'avait pour but que de la vexer. D'un ton impassible, elle rétorqua :

— J'en ai vu trois cette semaine. Voulez-vous que je vous envoie leurs fiches avec leurs références ?

— Une des trois, selon vous, pourrait-elle convenir ?

— Non, répliqua-t-elle froidement.

— Alors, inutile de m'envoyer leurs références. Vous êtes d'accord avec moi, Miss Prentiss ?

Il lui parlait comme à une enfant. Malgré une légère crispation des mâchoires, la jeune fille s'efforça de conserver son calme.

— Oui. Dans le cas où quelqu'un d'autre se présenterait, je vous le ferais savoir.

— Je vous en serai infiniment reconnaissant, croyez-le bien. Au revoir, Miss Prentiss...

— Au revoir.

D'un coup sec, Mara raccrocha le récepteur.

— C'était Sin Buchanan, n'est-ce pas ? lui demanda son père.

— Oui. Il voulait savoir si je lui avais trouvé quelqu'un pour s'occuper du cottage...

— Et cette histoire de bras ? De quoi s'agissait-il ? Il la fixait d'un regard inquisiteur.

— Oh ! Je n'ai pas très bien compris... fit-elle en haussant évasivement les épaules. Il s'était mis dans la tête que j'avais dû me blesser.

— En voilà une idée ! s'écria son père. Je me demande où il a été chercher ça ?

— Je n'en sais pas plus que toi, ne craignit-elle pas d'affirmer. Et maintenant, excuse-moi, mais j'ai des légumes sur le feu !

Cette semaine-là, Mara reçut la visite de deux nouvelles postulantes. Elle ne les engagea ni l'une ni l'autre. A peine la seconde venait-elle de partir, que M. Prentiss sortit du bureau dans son fauteuil roulant.

— Cette femme semblait capable. Pourquoi ne l'as-tu pas retenue ?

— Tu as vu ses cheveux et sa blouse pleine de taches ? Une femme qui n'est pas soignée dans sa mise a peu de chances de se montrer méticuleuse dans l'entretien d'un intérieur...

— Tu as sans doute raison, concéda Adam. Mais méfie-toi, Mara, personne n'est aussi parfait que toi, et tu risques fort de chercher longtemps...

La jeune fille porta la main à son front. Une douleur lancinante lui labourait les tempes.

— Pourquoi me harceler ainsi, Adam ?

C'était une sorte de plainte pour l'inviter à faire la paix. Mais son découragement fut de courte durée. Elle changea brusquement de sujet.

— Ces notes dont tu m'avais parlé... Elles sont prêtes ? Je les taperai après déjeuner.

— Oui, tu les trouveras sur mon bureau.

Il la regarda partir d'un air songeur.

Un autre week-end passa comme il était venu. Mara entrevit son locataire arpentant l'allée au pas de course. Mais cette fois il n'esquissa aucun geste en direction de la cuisine.

Le lundi matin, Mara trouva encore de nouveaux changements au cottage. Une bibliothèque aux rayonnages de chêne avait été aménagée sur un pan de mur du living-room. Sur la cheminée trônait une pendule ancienne encadrée de deux chandeliers d'argent. Fait inhabituel : quelques vêtements étaient restés suspendus dans la penderie. Comme Mara ne put s'empêcher de le remarquer, ils étaient tous masculins... La liste de provisions était toujours à la même place sur le réfrigérateur. La jeune fille constata avec surprise que l'écriture quasi illisible de Sin commençait à lui devenir familière.

Il plut sans interruption la majeure partie de la semaine. Avec leurs dernières feuilles, les arbres perdaient leur éclat automnal. Leurs branches nues dressées vers le ciel les faisaient ressembler à de maigres épouvantails.

Lorsque, le samedi matin, le soleil fit sa réapparition, Mara décida de profiter de cette trêve pour ramasser les feuilles qui jonchaient la cour. Gorgées de pluie, celles-ci glissaient entre les dents du rateau, et la tâche n'était pas facile. Mais c'était si bon de se retrouver dehors après tant de jours passés à l'intérieur !

D'ailleurs, Mara n'était pas la seule à le penser. Son

père avait sorti son fauteuil roulant dans le patio et admirait le reflet mordoré du soleil sur les briques. En raison de la fraîcheur de la brise, ses jambes paralysées reposaient sous un plaid pour éviter tout risque de refroidissement.

La jeune fille interrompit un instant sa tâche pour le regarder. Il était dehors depuis plus d'une heure, il devait commencer à sentir le froid.

— Il serait peut-être temps de rentrer, Adam, tu ne trouves pas ?

— Si vite ? Attendons encore un peu... C'est peut-être la dernière journée de beau temps avant l'hiver, je ne voudrais pas en perdre une minute...

— Alors ne viens pas te plaindre si tu attrapes une pneumonie, crut bon de l'avertir sa fille.

— Loin de moi cette pensée !

Un sourire illumina son visage. Il paraissait soudain rajeuni de dix ans.

Mara s'empara d'un grand sac en plastique et commença à entasser les feuilles à l'intérieur. Pour la circonstance, elle avait revêtu un vieux jean usagé et une veste kaki. Seule tache de couleur : un bonnet rouge qui offrait un contraste saisissant avec sa chevelure brune.

Absorbée dans sa tâche, elle ne vit pas arriver le visiteur. La voix de son père la fit sursauter.

— Bonjour, Sin ! Comment allez-vous ? Belle journée, n'est-ce pas ?

— Radieuse, en effet. Je vois que vous n'avez pas résisté, vous non plus, au plaisir de prendre l'air...

La jeune fille risqua un coup d'œil par-dessus son épaule. Aucun doute possible, c'était bien Sin Buchanan. Il avait troqué son habituel survêtement contre un costume de velours dont la veste largement ouverte laissait apparaître un pull à col roulé bleu pâle.

Il se passa négligemment la main dans les cheveux. Le froid ne semblait pas avoir de prise sur lui. Comme s'il avait senti le regard de Mara posé sur lui, il se tourna brusquement vers elle.

— Vous travaillez dur, je vois !

— En effet.

Elle s'était remise à entasser les feuilles avec une ardeur renouvelée.

— Avez-vous enfin trouvé la perle rare qui me servira de femme de ménage ? s'enquit-il gaiement.

— Pas encore.

Sans le vouloir, elle avait pris un ton incisif qu'elle regretta aussitôt.

— Mara est une perfectionniste-née, crut bon d'expliquer son père. Et comme elle en attend de même des autres, elle peut chercher longtemps !

Pour toute réponse, la jeune fille serra les mâchoires et entreprit de porter le sac plein à ras bord jusqu'au portail. L'humidité contenue dans les feuilles le rendait deux fois plus lourd.

— Vous n'allez pas porter ça ! Laissez-moi vous aider, proposa Sin en s'avançant dans sa direction.

— Je suis parfaitement capable de me débrouiller seule, déclara-t-elle sèchement.

Il n'insista pas et se contenta de hausser les épaules en silence. Ayant renoncé à porter le sac, Mara choisit de le tirer jusqu'à la grille. A son retour, tous ses muscles tremblaient tant elle avait fait d'efforts. Bien décidée à n'en rien laisser voir, elle ramassa son râteau et reprit sa tâche où elle l'avait laissée.

Sin avait repris son bavardage avec Adam, mais elle avait la désagréable impression qu'il ne la quittait pas des yeux. Cette fois, heureusement, la corvée de ramassage allait être écourtée, puisque ce dernier tas de feuilles était destiné à protéger du gel la plate-bande de fleurs devant la maison.

— Pourquoi ne pas te reposer un peu, Mara ? lui suggéra son père. Ce coin-là peut attendre à demain ! Je suis épuisé rien qu'à te regarder...

— Je crois en effet que je vais en rester là pour aujourd'hui, dit-elle en retirant ses gants de jardinage. Ils annoncent encore davantage de soleil demain...

En vérité, elle était exténuée et aspirait à prendre un peu de repos.

— Pour toi aussi, Adam, il est temps de rentrer. Tu vas finir par prendre froid.

— Tu as sans doute raison...

Pour en convenir, songea-t-elle, il fallait qu'il soit transi jusqu'aux os !

Sans un regard pour l'homme qui se trouvait au côté de son père, elle s'approcha du fauteuil roulant et le tourna vers la maison. Mais Adam Prentiss n'était pas disposé à abandonner son hôte si vite.

— Si vous n'avez rien de spécial à faire, Sin, pourquoi ne pas rentrer avec nous ?

Mara fronça les sourcils de colère.

— Tu n'y songes pas, Adam ! M. Buchanan n'a déjà que trop délaissé miss Taylor. Imagine son impatience si elle l'attend au cottage !

— Elle n'y est pas, déclara Sin le plus tranquillement du monde.

Devant l'air surpris de la jeune fille, il crut bon d'ajouter :

— Célène ne m'a pas accompagné cette fois-ci.

Furieuse de n'avoir pas su masquer son étonnement, Mara opta pour un ton sarcastique.

— Un week-end par mois entièrement consacré au repos... voilà une excellente formule !

— N'est-ce pas ? rétorqua le jeune homme avec désinvolture.

— Si personne ne vous attend, intervint Adam, vous n'avez aucune raison de nous refuser votre compagnie.

— Aucune, en effet.

Mara n'avait pas attendu la réponse et poussait déjà le fauteuil roulant en direction de la porte d'entrée. Mais au moment de gravir la rampe d'accès menant à la maison, elle éprouva quelques difficultés. Ses travaux de ratissage l'avaient épuisée et les premières courbatures commençaient à se faire sentir... La main de Sin se porta à son secours.

— Je vais vous aider. Laissez-moi faire.

— Inutile, j'y arriverai seule, rétorqua sèchement la jeune fille.

— J'en doute fort. Votre père n'est pas un sac de feuilles, et vous vous êtes assez dépensée pour aujourd'hui !

D'autorité, il l'écarta et guida le fauteuil sur la rampe avec une facilité déconcertante. Avec un « merci » prononcé du bout des lèvres, Mara ouvrit la porte et s'excusa aussitôt.

— Je vais me changer et faire un brin de toilette.

Sa chambre était au second étage. Du haut de l'escalier, elle vit Sin et son père se diriger vers le bureau. Après une bonne douche, elle se sentit mieux. Le temps d'enfiler un pantalon beige et un chandail à rayures assorti, elle se retrouva dans la cuisine par l'escalier de derrière. De l'entrée lui parvenait le bruit assourdi de la conversation des deux hommes.

La cafetière était vide. Elle mit de l'eau à chauffer et rangea la vaisselle du petit déjeuner qui séchait sur l'égouttoir. Le café terminé, elle s'en versa une tasse et se laissa choir sur une chaise. Après une bonne douche, rien de tel qu'une tasse de café pour se détendre !

A peine en avait-elle absorbé une gorgée que la porte s'ouvrit. A nouveau nerveuse et tendue, elle vit entrer Sin Buchanan. Le répit avait été de courte durée...

Sans sa veste, il paraissait encore plus imposant. La laine rugueuse de son chandail mettait en valeur ses larges épaules. Il s'arrêta au milieu de la pièce et la dévisagea. C'était comme s'il la touchait. Au prix d'un douloureux effort, elle parvint à raffermir sa voix.

— Vous désirez quelque chose ?

— Votre père m'envoie vous demander s'il n'y aurait pas un peu de café.

Difficile de répondre par la négative... Mara se leva brusquement. Elle ne pouvait plus supporter l'intensité de ce regard posé sur elle.

— Je viens d'en faire, en effet. Le temps de préparer le plateau, et je vous l'apporte.

— Inutile de vous déranger ! Je vais attendre et l'apporterai moi-même.

Il s'approcha du buffet devant lequel la jeune fille s'était agenouillée pour sortir les tasses. Elle n'avait qu'une hâte : le voir partir !

— Cela risque de prendre un certain temps. Vous feriez mieux d'aller retrouver mon père...

— Il n'est pas question pour moi de sortir de cette pièce les mains vides !

Elle dut s'incliner. Décidément, l'autorité de Sin n'était jamais en défaut...

— J'espère, déclara-t-elle pour faire diversion, qu'Adam ne vous a pas trop ennuyé avec ses histoires de guerre de Sécession...

Elle savait pertinemment qu'il n'en était rien. Son père subjuguait tous ceux qui l'écoutaient. Il avait un charme inné. Sans doute était-ce pourquoi sa femme avait continué de l'aimer malgré sa trahison...

— Notre conversation a porté sur un tout autre sujet, remarqua Sin d'un air détaché. Pas de sucre ni de lait pour moi, ajouta-t-il en la voyant disposer ces ingrédients sur le plateau.

— Mais alors de quoi avez-vous bien pu parler ?

— De beaucoup de choses...

Mara accueillit cette réponse ambiguë comme une insulte.

— Y compris de moi, je suppose !

Sin la regarda verser de l'eau chaude dans un petit pot d'argent.

60

— Pourquoi voudriez-vous avoir été le centre de notre conversation ?

— Pour rien. Oubliez ce que je vous ai dit, rétorqua Mara avec un haussement d'épaules.

Comme Sin s'apprêtait à prendre le plateau, elle l'arrêta.

— Un instant. Je vais ajouter quelques gâteaux...

Elle avait préparé des petits sablés la veille, et savait que son père renverrait Sin les chercher s'il ne les trouvait pas près de sa tasse.

— Adam est très gourmand, vous comprenez...

— Pourquoi cette curieuse habitude d'appeler votre père par son prénom ? lui demanda-t-il à brûle-pourpoint. Cela ne vous ressemble pas !

Que voulait-il dire par là ?

— Parce qu'il me plaît de l'appeler ainsi, se contenta-t-elle de répondre.

— Et vos raisons ne regardent que vous, n'est-ce pas ?

— Adam et moi. Ce qui exclut les étrangers...

La sécheresse de sa voix ne laissait aucun doute sur la catégorie à laquelle il appartenait. Mais Sin ne se laissa pas décourager pour autant.

— Je soupçonne une brouille entre vous... Adam m'a parlé de l'accident de voiture qui lui avait coûté l'usage de ses jambes.

— Ah oui ?

— Un homme d'une telle vitalité ! C'est vraiment navrant...

— Navrant, en effet. Mais il n'a eu que ce qu'il méritait !

A peine formulée, Mara se reprocha sa franchise. Mais après tout, Sin pouvait bien penser d'elle ce qu'il voulait, elle s'en moquait !

Celui-ci lui jeta un regard pénétrant.

— Si vous lui en voulez tellement, pourquoi vous être sentie obligée de le soigner ?

— Pour votre gouverne, monsieur Buchanan, sachez que je ne me suis pas sentie le moins du monde « obligée » comme vous dites ! Si je le fais, c'est parce que j'ai *choisi* de le faire. Cet homme est mon père. Il était hors de question pour moi de l'abandonner.

— Consacrer tout son temps à un infirme n'est pas une existence pour une jeune fille de votre âge... surtout lorsqu'elle est aussi jolie que vous l'êtes, insinua-t-il doucement.

— Les compliments n'ont aucune valeur pour moi, monsieur Buchanan. J'ai été à trop bonne école avec Adam pour ignorer qu'ils ne veulent rien dire...

— Vous n'aimez pas beaucoup votre père, n'est-ce pas, Miss Prentiss ?

C'était une simple constatation.

— Et vous ?

— Je ne le connais pas encore depuis bien longtemps, mais il m'apparaît comme un homme intelligent et sympathique.

— Précisément parce que vous ne le connaissez pas aussi bien que moi...

— « Mara la Cruelle »... Moi qui vous croyais de celles qui tendent l'autre joue !

— Tout le monde peut se tromper, monsieur Buchanan.

— Excepté vous, n'est-ce pas ?

Une lueur moqueuse brillait dans les yeux de Sin.

Bien décidée à ne pas pousser plus avant la discussion, Mara s'empara du plateau et le lui tendit.

— Vous vouliez le porter vous-même, je crois ?

Il la considéra d'un air amusé.

— Cette conversation commencerait-elle à vous peser, Miss Prentiss ?

— Je suis simplement lasse d'être pour vous une source perpétuelle d'amusement, répliqua-t-elle froidement.

— Vous prenez les choses trop au sérieux, voilà tout !

Apprenez donc à rire ! C'est souvent le meilleur remède à tous nos maux...

— Parlez pour vous, monsieur Buchanan ! En ce qui me concerne, j'ai connu trop d'épreuves pour considérer la vie comme une partie de plaisir.

Sur ce, elle lui plaça d'autorité le plateau entre les mains.

— Si vous n'y allez pas maintenant, Adam va s'impatienter.

Elle le défiait du regard. Il la considéra un instant avant de se décider à prendre le plateau. Leurs doigts s'effleurèrent, mais pour la jeune fille, ce fut comme une brûlure dont elle garda l'empreinte bien après le départ de Sin.

Restée seule, elle découvrit que son café était froid. Après l'avoir vidé dans l'évier, elle s'en reversa une tasse. Mais en dépit de ses efforts, elle ne put retrouver l'impression de détente qui avait précédé l'entrée de Sin dans la cuisine.

Le soleil qui brillait dehors lui donna l'envie de prendre l'air. Elle aurait pu se glisser dans le jardin sans prévenir personne, mais c'était contraire à ses principes.

S'emparant d'une grosse veste de laine qui était restée accrochée au portemanteau, elle se dirigea vers le bureau. Sin fut le premier à l'apercevoir dans l'encadrement de la porte vitrée. Cependant, elle choisit délibérément de l'ignorer pour s'adresser directement à son père.

— Je tenais à te prévenir que je sors me promener. Je serai de retour dans une heure. Désires-tu autre chose avant mon départ ? Davantage de café par exemple ?

— Non, mais un petit supplément de gâteaux ne serait pas de refus. N'est-ce pas, Adam ?

— Ils sont délicieux, en effet, renchérit celui-ci.

— Je veux bien vous en apporter d'autres, dit Mara, mais crois-tu, Adam, que ce soit raisonnable ? L'heure du repas approche, et tu risques de ne plus avoir faim...

— Tu as raison, ce serait dommage !

Avec un clin d'œil à son visiteur, Adam ajouta :

— Ma fille est une fameuse cuisinière, vous savez ! Personne ne fait la tarte au citron comme elle. C'est sa spécialité !

Mara n'attendit pas la suite pour prendre congé.

— Dans une heure ! cria-t-elle en ouvrant la porte d'entrée.

5

La mi-novembre ne tarda pas à arriver avec son
cortège de journées grises et maussades. Le sol était dur
sous les pieds de Mara qui se dirigeait vers le cottage, un
sac de provisions sous chaque bras. Pour si peu, elle
n'avait pas jugé bon de prendre la voiture. Mais elle en
venait presque à le regretter.

Un froid vif lui cinglait les joues, faisant jaillir de ses
lèvres, à chaque expiration, un mince nuage de fumée.
Les feuilles jonchaient le sol en un épais tapis ; d'autres
tourbillonnaient dans le vent. Mais celui-ci avait eu pour
bienfait de chasser les nuages, et les arbres se décou-
paient dans un ciel d'azur.

Cette dernière semaine, Mara n'avait guère eu l'occasion de s'aventurer hors de la maison. Victime d'un
refroidissement, Adam avait dû garder la chambre et
elle avait passé presque tout son temps à le soigner. De
ce fait, elle avait mené ces derniers jours une vie très
sédentaire et n'était pas mécontente de l'occasion qui lui
était offerte aujourd'hui de prendre un peu d'exercice.

L'état de son père s'était brusquement amélioré dans
la nuit. La fièvre avait baissé, et lorsqu'elle avait quitté
la maison tout à l'heure, il reposait confortablement
dans son lit et avait manifesté son intention de dormir
une heure ou deux.

En levant les yeux, Mara aperçut le toit du cottage se

profilant à travers les arbres. Elle se demanda quand Sin viendrait rendre visite à son père. Depuis ce fameux jour du ramassage des feuilles, Sin n'avait pas manqué un seul week-end de passer voir Adam. De quoi parlaient-ils ? Elle n'en avait aucune idée et n'avait jamais cherché à le savoir.

Ni d'ailleurs à interdire sa maison à Sin Buchanan. Ç'aurait été lui accorder trop d'importance... Elle se contentait d'ignorer sa présence lorsqu'il était auprès de son père.

Arrivée devant le cottage, elle sortit les clés de sa poche. Malgré ses annonces répétées dans le journal local, elle n'avait toujours pas trouvé de femme de ménage. Et venir ici chaque lundi et chaque vendredi matin faisait désormais partie de sa routine hebdomadaire.

A peine entrée dans la maison, son premier soin fut d'aller tourner le bouton du thermostat installé dans la salle de séjour. Quelle ne fut pas sa surprise de découvrir qu'il l'était déjà ! Un moment intriguée, elle finit par hausser les épaules. Lundi dernier était le jour où la fièvre d'Adam s'était déclarée. Sans doute, dans sa précipitation à rentrer, avait-elle oublié de fermer le chauffage du cottage...

Elle déposa les sacs de provisions dans la cuisine et ôta sa veste qu'elle suspendit au dos d'une chaise. Sa marche avait dû lui engourdir l'esprit, car il lui fallut attendre de déballer le premier sac pour s'apercevoir qu'une odeur familière flottait dans l'air.

Incrédule, elle releva la tête. L'arôme d'un café fraîchement préparé lui caressait les narines. Presque au même instant, elle entendit un bruit de pas dans la chambre voisine et pivota sur ses talons.

La silhouette massive de Sin se découpait sur le seuil. Comme si elle l'avait surpris au saut du lit, il portait pour tout vêtement un pantalon de velours marron. Sa carrure n'en paraissait que plus imposante. Elle fut frappée de la manière dont sa chevelure d'argent contrastait avec son torse bruni par le soleil.

La rigidité de ses traits s'était comme adoucie sous l'effet du sommeil. Manifestement, il n'était pas réveillé depuis longtemps. Mais en apercevant Mara, son regard s'aiguisa.

— Bonjour !

C'était dit avec un tel naturel que la jeune fille se demanda si elle ne s'était pas trompée de jour. Mais non, on était bien vendredi, et normalement Sin n'arrivait que le vendredi soir ou le samedi matin.

— Que faites-vous ici ? lui demanda-t-elle après avoir recouvré ses esprits. Je n'ai pas vu votre voiture dehors...

— Pour une bonne raison. Je suis arrivé par la route et me suis garé sur le côté du cottage.

Mais oui, bien sûr ! Comment n'y avait-elle pas pensé ? Du chemin, on n'apercevait pas cette partie de la maison. Elle ne s'était donc doutée de rien.

— Alors c'est vous qui avez tourné le bouton du thermostat et préparé du café, conclut-elle, à demi soulagée de voir qu'elle n'avait pas été victime d'une hallucination.

— Vous avez deviné... à moins que vous ne m'ayez caché la présence d'un fantôme dans ce cottage !

Un semblant de sourire se dessina sur ses lèvres.

— Auriez-vous craint un instant pour votre santé mentale ? ajouta-t-il.

— J'ai tant de choses en tête en ce moment, avança-t-elle pour sa défense. Adam a été malade toute la semaine par suite d'une mauvaise grippe. Aujourd'hui, il va mieux. Mais il était fort possible que j'aie oublié un ou deux détails lundi en partant d'ici.

— Pas vous, railla-t-il. N'êtes-vous pas la Perfection en personne ?

— Vous êtes arrivé plus tôt que prévu, coupa-t-elle sèchement. Pourquoi ? Nous ne sommes pas samedi.

— Je me suis décidé au dernier moment. Vous y voyez un inconvénient ? Je ne me souviens pas avoir lu dans le contrat une limitation quelconque sur le nombre de jours que je suis censé passer au cottage...

— Non, bien évidemment ! Mais vous auriez pu au moins me prévenir.

— Je vous l'ai dit : c'était une décision de dernière minute. Je doute que vous ayez apprécié un coup de téléphone en pleine nuit...

— En pleine nuit ? laissa involontairement échapper Mara.

— Oui, il était plus de minuit lorsque je me suis décidé à venir ici un jour plus tôt.

Inutile de se demander s'il était seul à cette heure... Instinctivement, Mara risqua un coup d'œil vers la chambre dont elle pouvait apercevoir le lit défait.

Sin comprit aussitôt le sens de son regard.

— Je suis venu seul, si c'est ce que vous voulez savoir...

Il souriait d'un air amusé. Elle détourna les yeux.

— Vous passez de plus en plus vos week-ends seul, remarqua-t-elle insidieusement. Ne craignez-vous pas de vous ennuyer sans personne pour vous distraire ?

— Si jamais cela se produisait, j'aurais toujours la ressource d'aller me divertir auprès de vous...

La fureur s'empara de Mara. Pourquoi fallait-il toujours qu'elle se laisse entraîner avec lui dans des conversations dont elle n'était pas maître ? Il avait décidément le don de tourner en ridicule le moindre de ses propos ! Mortifiée, elle se tourna vers les sacs qu'elle avait apportés et commença à les débarrasser fébrilement de leur contenu.

— Comme je vous l'ai dit, monsieur Buchanan, j'ai eu une semaine particulièrement éprouvante. Aussi me voyez-vous trop lasse pour entamer avec vous une joute oratoire...

Il la couvrit d'un regard pénétrant, se demandant d'où

lui venait cette subite tension qui altérait ses traits. Les yeux noirs de la jeune fille, deux immenses taches sombres dans l'ivoire satiné de son teint, étaient comme deux fleurs.

Cessant brusquement de la dévisager, il reporta son attention sur la cafetière dont le précieux contenu embaumait la pièce. Après avoir sorti deux tasses d'un placard, il les plaça sur la table.

— Pourquoi ne pas vous octroyer une trêve, Mara, et prendre une tasse de café avec moi ? Les provisions peuvent attendre à plus tard.

Loin de l'apaiser, cette remarque augmenta la colère de Mara. De quel droit l'appelait-il par son prénom et se préoccupait-il de son bien-être ? Elle le toisa d'un regard glacial.

— Je n'ai aucun désir de prendre une tasse de café avec vous !

Un silence pesant s'ensuivit qu'il se chargea de rompre avec sa perspicacité coutumière.

— Aucun désir, dites-vous ? Est-ce que cette absence de désir se rapporte seulement au café... ou à tout le reste en général ?

Il la défiait du regard.

La jeune fille n'hésita qu'un instant avant de répondre froidement.

— Les deux.

Elle continuait à décharger les paquets comme si de rien n'était.

— Vous ne devriez pas parler ainsi, rétorqua Sin d'une voix sourde. Un homme digne de ce nom pourrait être tenté de vous prouver que vous mentez...

— La fameuse arrogance masculine, n'est-ce pas ?

— Ou l'attitude provocante des femmes, qui sait ?

Incapable de supporter davantage les insinuations de Sin, Mara laissa là le paquet de pain de mie qu'elle tenait à la main pour se tourner vers lui.

— Je ne mentais pas, sachez-le bien ! Pas plus que je n'avais l'intention de me montrer provocante !

— Ah non ?

Sin était tout près d'elle. Tandis qu'elle cherchait désespérément une réponse cinglante, il se rapprocha plus encore et la saisit par le cou. Ses doigts effleurèrent lentement la petite veine qui palpitait à la naissance de sa gorge. Incapable de faire un geste, le cœur battant à tout rompre, Mara crut défaillir. Mais à la panique succéda bientôt une étrange émotion. Prisonnière... elle était prisonnière de ce regard bleu qui captait le sien et l'entraînait dans ses profondeurs.

D'une voix qui ressemblait à une caresse, il murmura :

— Un glaçon ne fondrait pas dans votre bouche...

Il n'y avait pas l'ombre d'un sourire sur ses lèvres. Ses doigts allaient et venaient sur la gorge de Mara sans qu'aucune émotion ne transparaisse sur son visage. Il avait l'air suprêmement détaché de l'homme rompu à ce genre de situation.

Il n'en allait pas de même de Mara. Avec horreur, elle s'aperçut qu'elle tremblait de tous ses membres. Il en serait ainsi tant qu'il la toucherait... Coûte que coûte, il fallait mettre un terme à cette situation. Au début, elle avait accepté de subir ses caresses pour bien lui montrer qu'elle n'y était pas sensible. Mais maintenant...

Luttant contre une indicible sensation de faiblesse, elle le repoussa violemment et s'éloigna de lui.

— Que se passe-t-il ? demanda Sin, l'air de savoir fort bien à quoi s'en tenir.

— Rien, dit Mara en ouvrant distraitement la porte d'un placard. Ce genre d'expérience ne m'intéresse pas, voilà tout...

— Voyez-vous ça ! s'exclama-t-il d'un ton enjoué. Comment pouvez-vous l'assurer si vous n'y avez jamais goûté ?

Elle qui croyait atteindre Sin dans son orgueil voyait

sa remarque se retourner contre elle. Comment répondre à une pareille question ? Elle ne se risqua même pas à essayer.

— On dirait que vos week-ends de célibataire commencent à vous peser, monsieur Buchanan... Pourquoi ne pas téléphoner à votre amie Célène ? Elle vous comblerait de ses « Sin chéri » et dissiperait du même coup votre ennui !

— Mais je ne m'ennuie pas avec vous, bien au contraire ! s'exclama-t-il en éclatant d'un rire sonore. Dès que je crois vous prendre au piège, vous contre-attaquez dans une autre direction.

— Je ne fais pas cela pour vous amuser, croyez-le bien !

— J'en suis tout à fait conscient...

Il était brusquement redevenu sérieux.

— C'est un réflexe d'autodéfense. Vous ne voulez voir personne vous approcher de trop près.

— Si vous l'avez compris, pourquoi ne pas me laisser en paix ? rétorqua sèchement Mara.

Mais Sin ne tint aucun compte de l'interruption.

— Le contact physique vous effraie, voilà la vérité ! Parce que vous êtes jeune et belle et que vous avez peur de vous-même... Mais vous ne pourrez pas indéfiniment nier les exigences de votre corps. La vie se chargera de vous apprendre que l'amour physique ne va pas systématiquement de pair avec l'Amour avec un grand A, comme vous semblez l'imaginer.

— Mes convictions ne regardent que moi.

Mara comptait sur la froideur pour masquer la gêne qu'elle ressentait.

Poursuivant ses rangements, elle s'apprêtait à prendre un paquet de café dans le sac lorsqu'il la devança et le lui prit des mains.

— Je veux savoir, persista-t-il.

De son bras resté libre, il l'empêcha de reprendre son occupation.

— Comment pouvez-vous ignorer le désir qui brûle en chacun de nous ?

En disant cela, Sin s'était penché vers elle et la sondait jusqu'au plus profond d'elle-même. Pour échapper à son regard, Mara se recula contre le buffet dont l'arête lui laboura le dos.

— N'avez-vous jamais envie de vous blottir dans les bras de quelqu'un ? N'avez-vous jamais envie d'être caressée ?

La voix de Sin n'était plus qu'un souffle. Elle éveillait en Mara un monde d'exigences et de désirs dont elle n'avait jamais soupçonné l'intensité. Au prix d'un effort surhumain, elle parvint à ne rien lui laisser deviner de l'état d'égarement dans lequel elle se trouvait.

— Et vos lèvres...

« Si seulement il pouvait se taire ! » songea-t-elle, prise de vertige.

— ... n'ont-elles jamais aspiré au contact d'autres lèvres ?

Au comble du désarroi, la jeune fille se contenta de secouer inlassablement la tête de droite à gauche, comme une somnambule. Ce mouvement eut pour effet de faire étinceler ses cheveux à la lumière de la cuisine.

— Seule une sainte n'aurait pas envie de sentir une main amie caresser sa chevelure, murmura Sin, pris à son propre jeu.

Dans ses yeux mi-clos brûlait un feu étrange.

— Mais je suis une sainte ! s'écria Mara au bord du désespoir. Adam vous le dira...

— Non. Vous êtes un être de chair et de sang... comme je le suis moi-même, mais avec une délicieuse différence.

Il inclina doucement la tête vers elle pour chercher sa bouche. La jeune fille, à bout de forces, ne lui opposa aucune résistance. Malgré ses paupières closes, elle était tout entière emplie de l'image de Sin.

Le baiser, timide au début, se fit progressivement plus

72

exigeant, commandant à Mara de sortir de sa passivité. Après une première tentative infructueuse, celle-ci sembla comprendre le rôle qu'on attendait d'elle et renonça à prendre appui sur le buffet pour se rapprocher de Sin.

Tremblante d'émotion, elle noua ses bras autour du cou de l'homme dont le cœur battait à l'unisson du sien. Ses lèvres s'entrouvrirent... Sin avait forcé leur barrage, et le flot tumultueux du désir les submergea.

Conscient de sa victoire, il resserra son étreinte. Mara pouvait sentir la chaleur de son corps contre le sien. Prise de vertige, elle eut l'impression d'être sur le point de faire une importante découverte. Il lui suffisait de s'abandonner pour découvrir de quoi il s'agissait. Mais non... c'était impossible ! Avec un gémissement, où se mêlaient regret et soulagement, elle s'arracha à l'étreinte de Sin. Celui-ci ne fit rien pour la retenir.

Elle s'éloigna vivement de lui, comme s'il suffisait de mettre de la distance entre eux pour oublier l'effet dévastateur de ce baiser. L'émotion lui coupait le souffle, mais elle redressa fièrement le menton pour bien lui montrer que rien n'avait changé. Toujours dans le même but, elle reprit sa tâche où elle l'avait laissée. Sin la regardait, mais elle fit mine de l'ignorer.

— Que vous est-il arrivé, Mara ?

Elle crut qu'il faisait allusion à la manière brusque dont elle avait mis fin à leur baiser.

— Rien, répondit-elle avec une fausse indifférence.

— Vous ne me ferez jamais croire cela !

Il avait une voix dure qu'elle ne lui connaissait pas.

— Pour tuer en vous tout sentiment, toute émotion, il a dû falloir des années ! Que vous est-il donc arrivé ? Une déception sentimentale ? Un fiancé qui vous a laissée choir sur le parvis de l'église ?

— Non, rien de tout cela.

Mara avait terminé de ranger le café et disposait les œufs dans le compartiment spécial du réfrigérateur.

— Alors un amant dont vous avez découvert trop tard qu'il était marié ?

Il revenait à la charge.

— Non.

Elle commençait à être à bout.

— Et même si l'une de ces réponses était « oui », poursuivit-elle, — je vous aurais répondu « non », parce que cela ne vous regarde pas !

Seule une imperceptible crispation de mâchoires trahit l'agacement de Sin.

— Savez-vous si votre père est suffisamment remis pour recevoir des visites ?

Ce brusque changement de sujet prit la jeune fille au dépourvu. Il lui fallut un instant pour se ressaisir.

— Oui, je pense...

— Très bien. Je vais finir de m'habiller et je repartirai avec vous.

— Mais... votre café ? bredouilla Mara.

C'était le premier argument qui lui venait à l'esprit.

— Jetez-le. J'ai eu suffisamment de stimulants ce matin pour ne pas y ajouter la caféine...

Elle ne releva pas l'allusion.

— Il fait froid dehors. Vous feriez mieux de prendre votre voiture, suggéra-t-elle en changeant de tactique.

— Le froid ne me fait pas peur. L'ambiance glaciale qui règne ici me rend capable d'affronter les pires intempéries.

— Ah, vraiment ? laissa tomber Mara d'un ton pincé. On croirait entendre Adam... Selon lui, vivre à mes côtés est une manière de se prémunir contre les courants d'air froid.

— Eh bien, je suis heureux d'apprendre que votre père et moi avons des points communs !

Sur cette repartie cinglante, Sin disparut dans sa chambre.

— Si vous n'êtes pas prêt lorsque j'aurai terminé, je

m'en vais sans vous ! lui cria-t-elle en guise d'avertissement.

N'obtenant pas de réponse, elle se hâta de finir au plus vite. Le manteau sur les épaules, elle s'apprêtait à sortir lorsque Sin la rejoignit.

— Je ne voudrais pas laisser Adam trop longtemps seul, déclara-t-elle pour expliquer son départ précipité.

— C'est tout naturel !

Il lui laissait le bénéfice du doute.

Lorsqu'il s'effaça devant elle pour la laisser passer, Mara prit garde de ne pas le frôler en sortant, et s'engagea aussitôt sur le chemin du retour.

— Pas si vite ! lui cria Sin qui était en train de fermer la porte à clé.

— Je vous ai dit que j'étais pressée, lui répondit-elle sans ralentir l'allure.

A peine avait-elle fait dix mètres qu'une main s'abattit sur son épaule, l'obligeant à se retourner. Les traits durcis par la colère, Sin la dominait de toute sa hauteur. Ses yeux bleus avaient l'éclat métallique de l'acier.

— Que se passe-t-il, Mara ? Vous me fuyez comme si je vous faisais peur. Rassurez-vous, je n'ai nullement l'intention d'abuser de vous au fond de ces bois !

— Je n'ai jamais redouté, Dieu merci, pareille extrémité !

— Alors, pourquoi me fuir ainsi ? soupira-t-il.

Sa colère semblait brusquement tombée. Avec une douceur inattendue, il l'attira contre lui et passa une main caressante dans les cheveux d'ébène.

C'en était trop pour Mara qui ne s'était pas encore remise de l'émotion suscitée par le baiser de tout à l'heure. Elle se dégagea avec violence.

— Allez-vous-en et laissez-moi seule ! Jamais je ne me laisserai dominer par un homme. Jamais, vous m'entendez !

— Au sens propre ou au sens figuré ? dit la voix railleuse de Sin.

Pour toute réponse, Mara accéléra l'allure mais ne réussit pas à distancer son poursuivant. Ils marchèrent de concert jusqu'à la demeure de briques rouges sans prononcer une parole.

A peine entrée, la jeune fille accrocha sa veste au portemanteau et s'adressa à Sin sans même se retourner.

— Attendez-moi ici. Je vais voir si Adam est réveillé.

Pour des raisons évidentes de commodité, la chambre de son père était au rez-de-chaussée. Lorsqu'elle y pénétra, le convalescent avait les yeux fermés. Hésitante, elle resta sur le seuil, se demandant si elle devait le réveiller ou le laisser se reposer.

Mais Adam lui-même la tira de son désarroi.

— Déjà de retour ? fit-il en ouvrant les yeux avec un pâle sourire.

— Oui. Comment te sens-tu ?

A première vue, il avait incontestablement meilleure mine.

— J'ai faim !

— Je vais te faire chauffer un peu de bouillon. En attendant, tu as un visiteur. Vous pouvez venir ! cria-t-elle en direction de l'entrée.

— Hello, Sin ! s'exclama Adam, visiblement ravi d'apercevoir la haute silhouette se profiler dans le couloir. Que faites-vous ici avec un jour d'avance ? Aurais-je perdu la notion du temps ?

— Non, rassurez-vous ! J'ai tout simplement décidé au dernier moment d'avancer mon arrivée.

— Excellente idée, vous m'en voyez ravi ! Entrez et asseyez-vous... à bonne distance, s'entend ! car je m'en voudrais de vous faire attraper ma grippe, ajouta Adam en souriant.

Il jeta un regard en direction de sa fille.

— Mara va m'apporter une tasse de bouillon. Désirez-vous prendre quelque chose ? Café ? Thé ?

— Non, rien, merci.

Une fois dans la cuisine, Mara se félicita d'avoir enfin de quoi s'occuper l'esprit. Même si c'était en accomplissant une tâche aussi simple que de faire réchauffer un peu de bouillon...

Sa réapparition dans la pièce interrompit momentanément la conversation des deux hommes. Elle aida son père à s'asseoir dans son lit et lui posa le plateau sur les genoux.

Comme elle se dirigeait vers l'armoire pour y prendre une serviette, Sin, le premier, reprit le fil de la conversation.

— Moi qui comptais sur vous, Adam, pour me commenter ce week-end la visite du champ de bataille...

— Et pourquoi pas ? Je me sens beaucoup mieux, vous savez !

— Comment ? intervint vivement Mara. Sortir ce week-end ? Mais tu n'y songes pas ! Tu es loin d'être complètement rétabli !

— Mara a raison...

Ce soutien inattendu de Sin l'étonna.

— Il ne serait pas très sage de votre part de sortir par ce froid. Inutile de risquer une rechute.

— Si vous êtes deux contre moi, gémit Adam, je n'ai plus qu'à m'incliner... Mais je déteste l'idée que Sin va manquer cette visite à cause de moi. Aujourd'hui, il est décidé. Qui sait s'il le sera une autre fois ?

Le regard brillant d'excitation, il ajouta.

— Je crois détenir la solution au problème ! Pourquoi Mara ne prendrait-elle pas ma place ? Elle connaît presque aussi bien que moi la bataille de Gettysburg !

Interdite, la jeune fille jeta un furtif coup d'œil à Sin. Une lueur cynique se lisait sur son visage. Il avait deviné que c'était la dernière chose au monde qu'elle aurait souhaité faire...

— C'est très judicieux de votre part de me proposer votre fille comme guide... et je ne mets certes pas en cause ses capacités, puisqu'elle vous a secondé dans vos recherches. Mais je doute fort qu'elle accepte de m'accompagner...

— Pourquoi cela?

Adam se tourna vers sa fille avec une indifférence feinte.

— Tu l'as bien fait pour ta cousine d'Atlanta, et un ami à moi venu tout exprès de Californie!

Mara pouvait difficilement lui expliquer que les circonstances étaient différentes aujourd'hui... Ces gens étaient pour elle des étrangers, tandis que Sin... Non, elle devait trouver une autre explication.

— Je ne verrais aucune objection à servir de guide à M. Buchanan si je n'avais pas tant à faire ici ce week-end! J'ai passé beaucoup de cette semaine à te soigner, et je n'ai rien pu préparer pour le *Thanksgiving day*. Je n'aurai pas trop de ces deux jours pour rattraper mon retard. Lundi, j'y verrai plus clair...

Avec surprise, elle entendit Sin s'exclamer.

— Lundi? Mais cela me convient parfaitement!

Une lueur dansait dans ses yeux.

— Quelle heure voulez-vous?

— Quelle heure? répéta la jeune fille abasourdie.

Avec horreur, elle comprit qu'elle était prise au piège. Son père était peut-être de connivence?... Mais non, il semblait aussi surpris qu'elle-même.

— Parce que vous serez encore là lundi? demanda-t-il à son visiteur.

— Oui. Je comptais passer la semaine ici et ne regagner Baltimore qu'après la fête.

— Mais vous ne m'en avez rien dit tout à l'heure au cottage, lança Mara d'un ton accusateur.

— Vous ne me l'avez pas demandé, railla-t-il. Mais rassurez-vous, je vous aurais avertie un jour ou l'autre, ne serait-ce que pour vous éviter de vous déranger inutilement lundi matin... A propos de lundi, vous ne m'avez toujours pas dit quelle heure vous conviendrait?

Il revenait à la charge.

— Je ne sais pas...

La rage au cœur, la jeune fille essayait désespérément de se dérober. Mais pressée de répondre, elle finit par y renoncer.

— Disons, après déjeuner... C'est l'heure à laquelle Adam fait habituellement sa sieste.

— Eh bien, c'est entendu. Je viendrai vous chercher lundi après déjeuner !

Elle l'aurait tué pour le sourire suffisant qu'il arborait.

6

A une heure précise, ce lundi-là, la voiture gris métallisé de Sin tournait au coin de l'allée. Mara venait d'essuyer la dernière assiette du déjeuner. Sans la moindre précipitation, elle mit son torchon à sécher et ôta son tablier. Puis elle se décida à aller ouvrir.

Sur le seuil, Sin était là qui la dévisageait. Il nota au passage le galbe délicat des jambes nues sous la robe de lainage.

— Vous n'avez pas changé d'avis ?

— Non.

Pour ne pas lui donner le temps de jouir de sa victoire, elle se détourna sans même l'inviter à entrer.

— Je vais avertir Adam de mon départ.

Comme elle atteignait la chambre de son père, elle entendit la porte d'entrée se refermer : Sin avait préféré attendre à l'intérieur.

— J'ai entendu la voiture, déclara Adam sans laisser le temps à sa fille d'ouvrir la bouche. Tu peux partir tranquille, je n'ai besoin de rien. Avec le téléphone à portée de la main, mes livres et mes notes, j'ai de quoi m'occuper tout l'après-midi.

— Tu es sûr d'aller tout à fait bien ? s'enquit Mara dans un dernier espoir.

A en juger par la mine florissante d'Adam, il pouvait difficilement en être autrement...

— Je me porte comme un charme ! répliqua celui-ci en souriant. Ne te mets pas en retard. Sin doit t'attendre...

— Oui.

Elle avait de plus en plus de mal à masquer sa nervosité .

— Si tu n'as vraiment besoin de rien...

— J'ai au moins une demi-douzaine de numéros de téléphone à appeler en cas d'urgence ! Va et amuse-toi bien, Mara...

— J'en doute fort, ne put-elle s'empêcher de murmurer avant de quitter la chambre.

Elle retrouva Sin qui l'attendait dans l'entrée.

— Quand vous voulez... Je suis prête !

— Dois-je comprendre que votre père a échappé à une malencontreuse rechute ? railla-t-il en s'effaçant pour la laisser passer.

— En effet. Il va tout à fait bien maintenant.

Son manteau sur les épaules, elle passa devant Sin la tête haute. Malgré son irritation, elle était bien décidée à rester froide à ses sarcasmes.

— Naturellement, nous prenons ma voiture, déclara le jeune homme en lui emboîtant le pas.

— Puisque je vous sers de guide, je préfère prendre la mienne.

— La mienne est plus confortable pour voyager, dit-il. Et puis, je vous fais confiance : vous devez être une parfaite conductrice, capable de conduire n'importe quel modèle, aussi rapide soit-il !

A quoi bon gaspiller son énergie à discuter ? songea Mara. Mieux valait la garder pour plus tard. Elle risquait d'en avoir besoin... Pour rien au monde, elle n'aurait avoué qu'elle appréhendait de conduire la luxueuse limousine de Sin.

Elle inspecta rapidement le tableau de bord, tandis que son compagnon prenait place à son côté sur le siège passager. Les portières refermées, elle amorça une

82

marche arrière dans l'allée. Comme elle s'y attendait, la voiture était un modèle de maniabilité et de souplesse.

— Je crois que je vous dois des excuses, déclara Sin à peine franchie la grille d'entrée.

— Des excuses ? Pourquoi ?

— Honnêtement, je ne comptais pas sur vous aujourd'hui. Je m'attendais à vous voir invoquer le premier prétexte venu pour éviter de m'accompagner.

Ce fut au tour de Mara de se montrer sarcastique.

— Dites plutôt que vous *espériez* me voir changer d'avis pour la simple et bonne raison que vous n'aviez plus la moindre envie d'entreprendre ce périple ! S'il en est ainsi...

— Pas du tout, rétorqua Sin, brisant ainsi le dernier espoir de sa compagne.

— Ah non ? Cependant, vous auriez fort bien pu émettre cette idée uniquement par déférence pour Adam...

— C'est possible, mais il n'en est rien. En fait, j'étais poussé par la curiosité de découvrir le théâtre de cette bataille avec un érudit à mes côtés. En l'occurrence, votre père... Bien sûr, jamais je n'aurais imaginé vous avoir pour guide !

— Mais vous avez tout fait pour qu'il en soit ainsi ! rétorqua Mara, les doigts crispés sur le volant.

Elle était furieuse.

— Vous étiez consentante, il me semble...

— Vous savez très bien pourquoi ! J'ai avancé la date d'aujourd'hui parce que j'étais persuadée que vous seriez absent. Comment aurais-je pu imaginer que vous alliez prolonger votre séjour ? Vous vous étiez bien gardé de m'en informer !

— J'ignorais que cela avait une si grande importance pour vous...

Sin s'interrompit pour l'observer avec insistance, mais elle gardait les yeux obstinément fixés sur la route.

— Maintenant, si vous désirez faire demi-tour...

— Oh non! rétorqua-t-elle d'un ton glacial. Vous avez émis le désir de voir un champ de bataille, vous aurez satisfaction! Que savez-vous des événements qui ont déclenché cette fameuse bataille de Gettysburg?

— Peu de chose, répliqua-t-il sèchement. Mais j'attends de vous que vous me rafraîchissiez la mémoire.

Mara s'exécuta.

— La guerre de Sécession en était à sa troisième année. Le Nord, avec le général Grant à sa tête, venait de perdre une bataille jugée capitale, et le moral des troupes était au plus bas. Tous étaient las de la guerre et de ce sang versé en vain. Une idée commençait à germer parmi les Nordistes selon laquelle le Nord devrait permettre au Sud de se séparer de l'Union, et mettre ainsi un terme à la lutte. Conscient de cet état de fait, le général Lee sentit que le moment était venu de porter un coup fatal à l'armée nordiste : une victoire en terrain ennemi assurerait à la Confédération des Etats du Sud le soutien des pays européens — et, qui sait, forcerait peut-être le Nord à signer la paix. Fort de cette conviction, il dirigea son armée de soixante-quinze mille hommes sur le Sud de la Pennsylvanie, là même où nous nous trouvons aujourd'hui.

— Et personne ne s'est mis en travers de son chemin? s'enquit Sin avec étonnement.

— Personne.

Mara ralentit. Ils venaient de pénétrer dans la ville de Gettysburg.

— L'Union savait que Lee faisait route vers le Nord mais ses patrouilles ne parvenaient pas à localiser l'armée ennemie. Cela paraît incroyable, si l'on songe que le convoi n'avait pas moins de soixante-dix kilomètres de long! Les deux armées savaient qu'elles allaient se rencontrer mais ignoraient à quel endroit. En fait, le premier choc se produisit à l'ouest de Gettysburg. Aussi est-ce par là que nous allons commencer notre périple.

Mara tourna sur la droite et admira à la dérobée le

profil de Sin. On l'aurait dit taillé dans le bronze. Sa chevelure grisonnante se confondait avec la couleur du ciel. Il semblait distant, perdu dans ses pensées. Mais même alors, elle ne pouvait s'empêcher d'être troublée par l'extrême virilité qui émanait de lui. Par sa seule présence, il emplissait l'habitacle.

Soudain, elle ralentit.

— Voici le pont Mac Pherson. C'est là que tout a commencé. L'histoire veut qu'une faction de soldats rebelles ait cherché à s'infiltrer dans Gettysburg pour piller une fabrique de chaussures dont ils avaient entendu parler — il faut dire qu'après trois ans de guerre, l'état vestimentaire de l'armée confédérée était assez lamentable... Ils tombèrent alors sur une patrouille de l'Union qui donna aussitôt l'alarme. L'armée de Lee était localisée. La bataille commença.

— Tout cela pour une pénurie de chaussures... l'anecdote ne manque pas de piquant ! observa distraitement son compagnon.

Il contemplait les statues qui ornaient le pont.

— Il y a des centaines de plaques et de monuments disséminés un peu partout, lui dit Mara qui avait suivi son regard. Chaque fois que vous verrez la statue d'un général à cheval, notez bien la position de sa monture. Si elle repose sur ses quatre pieds, c'est que le général est sorti indemne de la bataille. Si l'un d'eux est levé, cela signifie qu'il a été blessé ; deux, qu'il a été tué. Le fait est d'autant plus curieux que ces statues ont été édifiées à des époques différentes par des sculpteurs différents. Ces derniers n'ont donc pas pu se consulter...

— Etrange coïncidence, en effet, murmura Sin.

Il se tourna brusquement vers elle et la scruta avec insistance. Elle s'aperçut qu'il avait posé un bras sur le dossier de son siège, et la proximité de cette main à quelques centimètres de son épaule la bouleversa. La tentation lui vint de se laisser aller contre cette poitrine d'homme qu'elle imaginait soudain comme un refuge. Mais elle se ressaisit bien vite.

— Cessez de me regarder ainsi ! jeta-t-elle avec colère.

— Et de quelle manière, s'il vous plaît ? s'enquit-il d'un air narquois.

Elle pouvait difficilement répondre et préféra changer de sujet.

— Dans l'après-midi, les rebelles attaquèrent l'aile droite de l'armée de l'Union au nord de Gettysburg. Ayant réussi à semer la déroute parmi l'ennemi, ils entreprirent de chasser les Nordistes à travers les rues de la ville. Mais au lieu de continuer la poursuite, les Confédérés décidèrent bientôt de se regrouper pour attendre Lee qui se trouvait encore à plusieurs kilomètres de là lorsque la bataille avait commencé.

Tout en parlant, Mara avait emprunté la voie suivie par les Nordistes lors de leur retraite. Du doigt, elle montrait à Sin les vestiges qui restaient encore de la bataille.

Mara et son passager longeaient maintenant l'avenue des Confédérés. Il suffisait de contempler ses arbres dénudés et ses pelouses jaunies par l'automne, pour se faire aussitôt une idée exacte du champ de bataille.

La jeune fille poursuivit son histoire.

— L'attaque de l'ennemi par l'aile droite n'ayant finalement pas abouti la veille, Lee décida de tenter un grand coup et de frapper en plein cœur des forces nordistes pour les couper en deux. Voici la route empruntée par les hommes de Pickett : pas un arbre, pas un abri... Les soldats rebelles s'avancèrent vers le pont « Seminary » en rangs serrés, épaule contre épaule, sur près de deux kilomètres. La Charge de la Brigade Légère — dont vous avez sans doute entendu parler — n'a rien de commun avec celle de Pickett. Canonnés sans relâche par les soldats nordistes, ils avançaient toujours. Les rivières autour de Gettysburg devinrent bientôt rouges de sang. Moins d'une heure plus tard, dix mille sur les quinze mille hommes de Pickett avaient trouvé la mort, et le pont était toujours aux mains des Nordistes.

— Arrêtons-nous ici, suggéra Sin. J'aimerais marcher un peu.

Mara gara la voiture et descendit. Un vent froid la saisit, l'obligeant à resserrer autour d'elle les pans de son manteau. A quelques mètres de là, Sin contemplait l'espace parcouru par les hommes de Pickett. Elle le rejoignit.

— Lee attendait ici lorsque arrivèrent les premiers survivants. Certains affirment qu'il avait les larmes aux yeux. Il n'eut pas un mot de reproche envers eux. Il était le seul responsable, leur dit-il. A force de se croire « invincible », il les avait conduits au désastre. Le lendemain, Lee levait le camp avec le reste de l'armée confédérée et regagnait le Sud. C'était le 4 juillet 1863.

Un frisson la saisit à l'évocation de ces sinistres événements. Elle venait de comprendre pourquoi les soldats de l'Union n'avaient tiré, ce jour-là, aucune gloire de leur victoire : elle avait coûté trop de vies humaines de part et d'autre.

Elle surprit soudain le regard de Sin posé sur elle. Ses yeux exprimaient une interrogation... Elle ne put résister à l'envie de découvrir de quoi il s'agissait.

— Aimeriez-vous savoir autre chose ?

Elle avait adopté un ton parfaitement impersonnel. Sin se tourna vers le champ de bataille, le col de son manteau relevé pour affronter le vent.

— Je me demandais seulement si votre tendance à vous croire invincible ne provenait pas des innombrables assauts que vous aviez su repousser par le passé.

Si la nostalgie de l'endroit avait quelque peu annihilé les défenses de Mara, cette simple phrase suffit à la

87

remettre sur le qui-vive. Elle reprit aussitôt la direction de la voiture.

— D'ici nous pouvons rejoindre le Cimetière Militaire où Lincoln a prononcé son discours.

Une main l'arrêta dans son élan. Sin l'avait rattrapée et la dévisageait, un pli amusé au coin des lèvres. Quand donc cesserait-il d'être toujours aussi maître de lui ? songea-t-elle avec rage.

— Vous me faites penser à une tortue, dit-il le plus sérieusement du monde. Dès que l'on vous approche d'un peu trop près, vous disparaissez sous votre carapace.

Il avait au fond des yeux une expression qui fit battre plus vite le cœur de Mara.

— Mais sous ses dehors implacables, la tortue est un animal extrêmement vulnérable...

Subjuguée par le regard de Sin, la jeune fille ne fit pas un geste lorsqu'il l'attira contre lui. Elle avait l'impression de vivre un rêve. Avec la bise glaciale qui sifflait autour d'eux, c'était bon de pouvoir se blottir au creux d'une épaule amie...

Elle ne se déroba pas davantage lorsque ses lèvres vinrent se poser sur les siennes. Bien plus, elle lui répondit avec ardeur, libérée de toutes contraintes. L'expérience du jeune homme avait eu raison de ses dernières défenses.

Le désir l'irradiait tout entière. Elle défaillait de plaisir sous les caresses de ces mains expertes qui couraient comme des flammes le long de son corps. Les lèvres de Sin quittèrent sa bouche pour effleurer sa joue et glisser le long de son cou. La tête rejetée en arrière, elle gémit de plaisir.

Une voiture passa, puis une autre. Mara reprit soudain conscience de l'endroit où ils se trouvaient et tressaillit. S'embrasser ainsi, à la vue de tous, était de la pire inconvenance !

Déchirée entre son devoir et les délicieuses sensations

que venaient de lui révéler les caresses de Sin, la jeune fille s'écarta doucement.

— Lâchez-moi, Sin, je vous en prie !

Ses paroles avaient l'accent d'une prière.

— Quelqu'un pourrait nous voir...

Après un instant d'hésitation, il souscrivit à sa demande. Redoutant l'éclat perspicace de son regard, elle détourna les yeux. Inutile de lui montrer à quel point sa victoire était complète...

Elle s'éloigna en hâte, persuadée que cela l'aiderait à échapper à son emprise. Mais rien ne pouvait effacer le torrent d'émotions qu'il venait d'éveiller en elle. Et il suffisait de le regarder pour voir qu'il en était parfaitement conscient... Il lisait en elle comme dans un livre, et cette constatation la bouleversa.

Elle ouvrit la portière de la voiture avec la ferme intention d'éviter à l'avenir de croiser le regard de Sin. A peine installée, elle s'aperçut qu'elle avait pris la place du passager. Reconnaître son erreur aurait été avouer que leur étreinte lui avait fait perdre la tête. Aussi préféra-t-elle rester où elle était.

Au moment de refermer la portière sur elle, une main s'interposa.

— Vous ne conduisez pas ? s'enquit Sin d'un ton narquois.

Il savait très bien à quoi s'en tenir, cela ne faisait aucun doute.

Elle lui répondit sans le regarder.

— Je préfère que ce soit vous.

Il n'émit aucune objection, et, après s'être installé, mit le moteur en route.

— Vous allez m'indiquer la direction à prendre, car je n'ai pas la moindre idée de la route à suivre pour atteindre ce fameux cimetière où Lincoln a prononcé son discours.

— Nous n'allons pas au cimetière, rétorqua Mara en

regardant droit devant elle. Le périple est terminé. Ramenez-moi à la maison.

Contrairement à son attente, Sin ne fit aucun commentaire et prit la route du retour comme si de rien n'était. Une dernière fois, Mara tourna la tête vers l'endroit où s'était déroulée la fameuse Charge de Pickett. Elle savait maintenant ce qu'il en coûtait de se croire invincible et d'être vaincu par une force supérieure...

Le retour lui sembla interminable. A chaque kilomètre parcouru, le silence devenait plus oppressant et l'atmosphère plus tendue. Sin Buchanan personnifiait tout ce qu'elle détestait le plus dans la gent masculine. Et de minute en minute, sa présence lui devenait de plus en plus insupportable.

Enfin le paysage se fit plus familier. En apercevant la demeure de briques rouges, Mara faillit pousser un soupir de soulagement. Mais à son grand étonnement, Sin ne s'arrêta pas devant l'entrée et poursuivit sa route.

— Où allons-nous ? lui demanda-t-elle avec une pointe d'angoisse dans la voix.

Il détourna un instant son attention de la route pour la regarder.

— Vous semblez bouleversée par notre petite... excursion. J'ai pensé qu'une tasse de café au cottage vous laisserait le temps de vous ressaisir.

Mara n'avait aucune envie de se retrouver seule avec lui au cottage. Elle savait trop bien ce qui allait arriver s'il recommençait à exercer sa séduction sur elle... A l'abri des regards indiscrets, elle serait totalement sans défense.

— Je croyais avoir été suffisamment claire, ce matin, monsieur Buchanan... je n'ai aucune envie de prendre le café avec vous. Aussi vous saurais-je gré de faire demi-tour et de me ramener à la maison !

Elle avait essayé de mettre dans ses paroles toute la froideur dont elle était capable. Mais il en fallait davantage pour abuser un homme tel que Sin Buchanan.

— Monsieur Buchanan ? Comme vous voilà cérémo-nieuse tout à coup ! Je préfère de beaucoup lorsque vous m'appelez Sin, observa-t-il en lui jetant un coup d'œil amusé.

Cette allusion à peine déguisée à son égarement de tout à l'heure augmenta la confusion de la jeune fille et sa colère, du même coup.

— Je vous ai demandé de faire demi-tour, monsieur Buchanan.

Avec un haussement d'épaules, Sin s'exécuta. Toute son attitude prouvait qu'il avait tout le temps devant lui. Une prochaine occasion ne manquerait pas de se présenter, il n'en doutait pas.

— Si vous préférez prendre le café chez vous, je n'y vois aucun inconvénient, déclara-t-il en ralentissant devant le portail. Simplement, j'avais pensé que vous n'aimeriez pas vous présenter devant Adam dans cet état.

— Adam n'a rien à voir dans cette histoire. Et je n'ai jamais dit que je vous invitais à prendre le café. Pourquoi le ferais-je ? Je n'ai même pas de sympathie pour vous !

La voiture venait de s'arrêter devant la maison. Comme Mara s'apprêtait à ouvrir la portière, Sin lui prit le menton et l'obligea à se tourner vers lui.

— S'il y a une personne pour laquelle vous n'avez pas une once de sympathie en ce moment, c'est bien vous, remarqua-t-il d'un air désinvolte.

Et sans lui laisser le temps de réagir, il l'embrassa avec fureur, comme pour la punir d'avoir menti.

Ivre de rage, elle lui jeta avant de sortir :

— Ne vous représentez jamais plus ici sans y avoir été invité... et seulement si c'est en rapport direct avec la location du cottage !

Sur quoi, elle claqua violemment la portière et s'achemina vers la maison la tête haute.

A peine avait-elle accroché son manteau dans l'entrée que son père l'appela.

— Mara, c'est toi ?

Elle soupira. Il était dit qu'on ne lui accorderait pas un seul instant de répit aujourd'hui !

— Oui, Adam, c'est moi... répondit-elle avec lassitude.

Le miroir en face d'elle lui renvoya l'image d'un visage altéré par l'émotion. La légère rougeur qui colorait son teint pouvait aisément être mise sur le compte du froid, mais pour le reste, son père serait-il dupe ?

— Tu rentres bien tôt, il me semble ! observa celui-ci en la voyant paraître à la porte de sa chambre.

— Il fait très froid dehors, nous ne nous sommes guère attardés à nous promener, déclara-t-elle en guise d'explication. Et en voiture, l'excursion ne prend pas beaucoup de temps.

— Pourtant, vous avez battu tous les records de rapidité ! Ce pauvre Sin n'a pas dû avoir droit à beaucoup d'explications...

— J'en ai sauté quelques-unes, c'est vrai, admit la jeune fille en essayant de paraître désinvolte. Mais il manifestait si peu de curiosité...

— Où est-il donc passé ?

Adam jeta un coup d'œil derrière elle comme s'il s'attendait à le voir entrer.

— Tu ne l'as pas invité à venir prendre un café ?

— Certainement pas !

Malgré elle, elle avait pris un ton cassant.

— Ce n'est pas très aimable de ta part, objecta son père avec sévérité. Je t'aurais crue plus soucieuse de tes obligations...

Profitant de l'occasion qui lui était offerte de changer de sujet, Mara contre-attaqua.

92

— Mes obligations ? Ce mot dans ta bouche a de quoi faire sourire ! Le devoir, la loyauté... sais-tu seulement ce que cela veut dire ?

Le beau visage de son père se crispa sous l'empire de la colère...

— Peut-être mieux que tu ne le crois !

Elle éclata d'un rire méprisant.

— Alors tu devais l'avoir oublié lorsque tu nous as abandonnées maman et moi !

— Je ne vous ai jamais abandonnées, répliqua-t-il durement. Avez-vous jamais manqué de rien ? Non ! Rosemarie était la mère de mon enfant, et en tant que telle, j'ai toujours eu un infini respect pour elle. C'est pourquoi j'ai fait en sorte que votre avenir matériel soit assuré.

— Tu ne me crois tout de même pas assez naïve pour l'admettre ? hurla Mara. Tes efforts pour te justifier me soulèvent le cœur ! C'est d'une telle lâcheté...

— Au lieu de juger les autres, tu ferais mieux de faire ton propre examen de conscience, objecta Adam.

— Que veux-tu dire par là ? *Moi ?* Je n'ai rien à me reprocher.

— Oui, toi ! Toi, avec tes grands airs et ton intransigeance ! Tu te places sur un piédestal, tu regardes tout le monde de haut... Mais, prends garde de ne pas devenir un monstre sans cœur, sans émotions, sans sentiments d'aucune sorte, car tu en prends le chemin. Si tu n'étais pas ma fille, je te mépriserais ! Mais, comme telle, c'est plutôt de la pitié que je ressens à ton égard...

Mara avait blêmi sous l'attaque.

— Je n'ai que faire de ta pitié, murmura-t-elle.

— Bien sûr, remarqua froidement Adam. Comme tu n'as que faire des autres en général ! Eh bien, Dieu merci, je ne te ressemble pas ! J'ai besoin des autres, *moi*... j'éprouve des émotions, je suis vivant. Toi, tu es l'ombre d'une femme, sans une once de chaleur humaine.

— Comment peux-tu dire cela de ta propre fille ? s'écria-t-elle, les larmes aux yeux.

— Je sais, Mara, cela fait mal. Mais cela fait mal aussi d'avoir à te parler ainsi, crois-moi...

Une indicible tristesse se peignait sur le visage d'Adam.

— Que n'aurais-je donné, poursuivit-il, pour avoir une fille qui se jette dans mes bras en pleurant et me dise :

« Papa, pourquoi m'as-tu quittée ? Je t'aimais tant ! »

La gorge serrée, elle balbutia :

— Et qu'aurais-tu répondu ?

— Je l'ignore... Ma fille à moi ne m'a jamais posé cette question. Seule une fille aimante et sensible aurait pu le faire. Et dans ce cas, elle n'aurait eu aucun mal à comprendre ma réponse...

— Une pauvre innocente, tu veux dire, qui aurait cru à tes mensonges !

Malgré l'amertume de ses propos, Mara était déchirée. Les paroles de son père lui rappelaient curieusement celles de Sin. Elle tenta de se rétracter.

— Je ne voulais pas dire cela, Adam... En réalité, je ne sais plus où j'en suis, murmura-t-elle en s'éloignant.

Comme elle quittait la chambre, elle entendit derrière elle la voix de son père, comme un souffle.

— C'est un début...

7

A la suite de cette confrontation, une sorte de trêve s'établit entre le père et la fille. Sans pouvoir très bien s'expliquer pourquoi, Mara ne se sentait plus obligée d'observer une attitude distante lorsqu'elle se trouvait en présence de son père. Une des barrières qu'elle avait sciemment érigées entre eux venait de tomber. Laquelle ? Elle l'ignorait encore.

Ouvrant la porte du four, elle arrosa la dinde qui cuisait à l'intérieur. La chair, dorée à point, semblait succulente et lui mit l'eau à la bouche. La sauge, dont elle avait parfumé l'intérieur de la volaille, embaumait toute la cuisine.

Destinées à servir d'accompagnement, des patates douces mijotaient sur la plaque électrique. Un gâteau au potiron refroidissait sur le rebord de la fenêtre. C'était le traditionnel repas de ce jour de fête, le *Thanksgiving day*, véritable fête nationale américaine.

— Humm ! Quelle délicieuse odeur ! s'exclama Adam en faisant son apparition à la porte de la cuisine. Combien de temps encore avant le déjeuner ? Je meurs de faim !

— La dinde est presque cuite, dit Mara en refermant la porte du four. Une petite demi-heure encore, et nous pourrons passer à table...

Elle se dirigea vers le buffet dans l'intention de mettre le couvert.

— J'avais pensé... risqua timidement son père, qu'en ce jour de fête, nous pourrions déjeuner à la salle à manger. Qu'en penses-tu ?

— C'est une idée, en effet. Le temps de jeter un coup d'œil aux patates douces pour m'assurer qu'elles ne cuisent pas trop vite, et je dresse le couvert dans l'autre pièce.

— Inutile de te déranger, rétorqua Adam en dirigeant son fauteuil roulant vers la table où elle venait de poser les assiettes. Je vais le faire... Seulement... il me faudrait un couvert supplémentaire.

— Comment ?

Mara fronça les sourcils. Aurait-elle donné par erreur une assiette sale ?

— Je n'en compte que deux, reprit son père. Tu oublies notre invité !

— Notre...

La jeune fille faillit s'étrangler d'indignation.

— Tu n'as tout de même pas invité Sin Buchanan à déjeuner ?

Elle ne l'avait pas revu depuis lundi et s'en réjouissait.

— Si, répliqua Adam le plus tranquillement du monde.

— Eh bien, dans ce cas, tu peux le décommander ! s'écria-t-elle en claquant violemment la porte du buffet.

— Mara !

Il prit le parti de la taquiner.

— Ma sainte fille aurait-elle perdu son auréole, et du même coup, son fameux sens de l'hospitalité ? C'est jour de fête aujourd'hui ! Nous nous devons de le célébrer en invitant un ami à notre table.

— Je refuse de déjeuner en sa compagnie.

Mais la colère de Mara manquait brusquement de conviction. Elle s'en étonna, sans pouvoir s'expliquer le

96

pourquoi de ce soudain revirement. Son père, pour sa part, revenait à la charge.

— Un jour comme celui-ci, Mara! Sin est ici, en Pennsylvanie, sans famille ni amis. Nous n'allons pas le laisser déjeuner seul?

En vérité, c'était plus une constatation qu'une question.

— Il y a de la dinde pour une famille entière! reprit-il. Nous n'en viendrons jamais à bout tous les deux! Pourquoi en manger tout le restant de la semaine quand nous pouvons la partager avec un ami? Nous ne sommes pas dans le besoin, que je sache...

— Je n'ai jamais dit ça! protesta sa fille.

— Les colons anglais se sont bien assis à la même table que les Indiens! Je ne vois pas pourquoi tu refuserais de déjeuner avec Sin?

Il la taquinait gentiment. Elle dut se forcer pour lui répondre avec sa froideur coutumière.

— Et si je refuse?

Elle-même avait déjà du mal à envisager cette éventualité.

— Eh bien de deux choses l'une, répondit son père. Où tu déjeunes seule à la cuisine pendant que Sin et moi nous installons dans la salle à manger. Ou tu lui laisses clairement entendre qu'il est indésirable dans cette maison. Mais en tout cas, tu ferais bien de te décider rapidement, car il arrive.

Sa déclaration fut aussitôt suivie de coups frappés à la porte. Il avait dû voir Sin arriver par la fenêtre! La colère de Mara rebondit.

— Pourquoi avoir attendu la dernière minute pour me prévenir de cette invitation?

La question était inutile. Elle savait fort bien que son père l'avait fait exprès pour l'empêcher de se dérober.

Il se contenta de sourire.

— Tu ferais mieux d'aller ouvrir...

La jeune fille lui jeta un regard furibond avant de se

diriger vers la porte. En même temps, elle se surprit à se féliciter d'avoir mis sa plus belle robe. Le fin lainage couleur carmin faisait admirablement ressortir son teint mat... « Quelle idée saugrenue ! » songea-t-elle en se ressaisissant bien vite. Pourquoi se serait-elle souciée tout à coup d'être séduisante ?

Son cœur battait à tout rompre lorsqu'elle ouvrit la porte. Elle en fut bouleversée et ressentit cette défaillance de son propre corps comme une trahison.

Mais il était trop tard pour épiloguer. Sin était devant elle et il lui fallait maintenant subir l'éclat redoutable de son regard bleu. Lui aussi s'était habillé pour l'occasion. Il portait un costume de velours gris anthracite qui s'harmonisait parfaitement avec ses cheveux argentés.

— Votre père m'a invité à déjeuner, déclara-t-il en insistant délibérément sur les mots, pour bien lui montrer qu'il ne se serait pas permis de venir sans y avoir été convié.

— Oui, je sais. Adam vient tout juste de me prévenir...

L'air froid de novembre s'engouffrait à l'intérieur sans qu'elle se décidât à le faire entrer.

— Je vois... murmura Sin en faisant mine de repartir.

Ce geste, interprété par la jeune fille comme un signe de bonne volonté, la poussa malgré elle à appuyer l'invitation de son père.

— Cela n'a aucune importance ! Il y aura bien assez pour nous trois. Entrez, monsieur Buchanan...

Le ton cérémonieux était destiné à lui faire sentir que cette invitation ne modifiait en rien leurs rapports.

Il s'inclina poliment devant elle.

— Merci.

Et, tandis qu'elle s'effaçait pour le laisser passer, il se dirigea vers la cuisine où il venait d'apercevoir le père de la jeune fille.

— Bonjour, Adam ! Comment allez-vous ?

— Je suis content de vous voir, Sin ! rétorqua celui-ci,

une pointe de malice dans le regard. Ma grippe n'est plus qu'un mauvais souvenir maintenant, mais j'ai terriblement faim !

— On serait affamé à moins ! Avec la délicieuse odeur qui flotte dans l'air...

C'était une manière indirecte de rendre hommage aux talents culinaires de Mara, mais celle-ci ne releva pas l'allusion. Tournant délibérément le dos à Sin, elle s'absorba dans la disposition des petits pains encore chauds dans une corbeille.

— Il me faudrait un troisième couvert, Mara, lui rappela son père. Voudrais-tu me le passer ?

La jeune fille était sur des charbons ardents. Abandonnant son occupation, elle prit une assiette dans le buffet, un couteau et une fourchette dans un tiroir, et tendit le tout à son père.

— Ne t'inquiète pas pour les verres, ajouta celui-ci. Nous prendrons ceux en cristal qui se trouvent dans la salle à manger.

Tournant son fauteuil, il lança à l'adresse de Sin :

— Que diriez-vous d'un petit verre de sherry avant le déjeuner ? Ou quelque chose de plus fort, si vous le désirez.

— Le sherry me convient parfaitement, rétorqua celui-ci avant de se tourner vers Mara. Vous joindrez-vous à nous ?.

— Non.

Elle tenta d'atténuer quelque peu la sécheresse de son refus.

— Merci, mais j'ai beaucoup à faire ici. Je dois rester pour surveiller la dinde.

Les deux hommes n'insistèrent pas, et elle se retrouva seule dans la cuisine avec le bruit de leur conversation en arrière-plan. Une fois de plus, elle ouvrit la porte du four pour arroser la volaille qui prenait une belle couleur ambrée. Puis elle souleva le couvercle des patates douces. Tous les prétextes lui étaient bons pour retarder le moment de rejoindre Sin et son père dans la pièce voisine. Lorsqu'enfin elle dut se résigner à apporter les plats sur la table, ce fut avec le plus de discrétion possible, dans l'espoir de ne pas attirer l'attention sur elle. Les deux hommes avaient déjà pris place autour de la table. Elle posa la volaille devant son père. En tant que maître de maison, il était censé la découper.

— Laissons faire Sin, proposa celui-ci. Il se montrera certainement plus adroit que moi cloué sur ce fauteuil.

Mara retint la protestation qui lui brûlait les lèvres. Après tout, son père avait raison. Elle se dirigea à contrecœur vers la chaise occupée par Sin. En posant le plat devant lui, elle lui effleura l'épaule de son bras. Ce contact lui fit l'effet d'une brûlure. Mais le jeune homme, lui, resta imperturbable.

Le déjeuner fut pour elle un martyre. A son grand désarroi, elle se trouva incapable de prendre part à la conversation. Tous les efforts déployés par Sin ou son père se soldèrent par un échec. Tout au plus réussissait-elle à répondre par oui ou par non.

Quant à son appétit, il avait disparu à l'instant même où leur invité était entré dans la maison. Elle devait se forcer pour avaler une ou deux bouchées. Quelle bonne idée elle avait eue de se servir modérément ! Pour comble de malchance, elle ne pouvait détacher les yeux des mains de Sin, ce qui aggravait considérablement son malaise. Elle gardait vibrant au fond d'elle-même, le souvenir de leurs caresses sur sa peau.

Aussi est-ce avec un intense soulagement qu'elle vit arriver le moment de se lever de table.

— Ne vous occupez pas de moi. Terminez tranquillement. Pendant ce temps, je vais préparer le dessert.

— Un gâteau au potiron ? s'enquit Adam d'un œil plein de convoitise.

— Comme le veut la coutume, oui.

— Avec de la crème Chantilly, j'espère ?

— Oui. J'ai préféré attendre le dernier moment pour la faire, mais, rassure-toi, ce ne sera pas long !

Sur ces paroles réconfortantes, Mara se retira dans la cuisine.

Elle battit la crème fraîche à la fourchette après avoir pris soin d'y ajouter la juste proportion de sucre vanillé. Elle avait presque terminé lorsque la porte s'ouvrit sur Sin apportant les assiettes du déjeuner.

— C'était bien le moins que je puisse faire pour manifester ma gratitude après un aussi excellent repas !

Cette brusque apparition avait bouleversé la jeune fille. Pour masquer son embarras, elle battit la crème avec une ardeur redoublée.

— Merci, répondit-elle machinalement. J'apporte le dessert dans quelques instants.

— Je vais vous aider...

Avant qu'elle ait pu protester, il s'était rapproché d'elle et la regardait faire.

Le gâteau était déjà découpé, et chaque part disposée sur une assiette à dessert. Il ne restait plus qu'à les napper généreusement de crème Chantilly. Mara continuait de battre avec frénésie. Mais très vite, elle ne put supporter la présence de Sin à ses côtés.

— Ce n'est pas nécessaire d'attendre... risqua-t-elle dans l'espoir de le voir partir.

— Mais si, j'y tiens ! rétorqua-t-il comme s'il ne voyait dans sa remarque qu'une simple formule de politesse. En outre, je profite de l'occasion pour vous remercier de m'avoir gardé à déjeuner alors qu'Adam avait oublié de vous en avertir.

— A mon corps défendant, croyez-le bien !

Elle voulait que les choses soient bien claires entre eux. Jugeant que la crème était suffisamment battue, elle posa sa fourchette. Etant donné les circonstances, le mélange serait bien assez onctueux !

— Je n'ignore pas à qui je dois cette invitation, répliqua-t-il sèchement. Mais je me demandais si vous y souscririez. Vous auriez pu mettre votre veto, et vous ne l'avez pas fait. Je tenais à vous en remercier.

— Il n'y a vraiment pas de quoi.

C'était une phrase polie destinée à mettre fin à la conversation. Mais Sin ne s'en alla pas pour autant.

Essayant désespérément d'ignorer sa présence, Mara prit la fourchette qui avait servi à battre la crème et en essuya le trop-plein avec son doigt avant de la laisser tomber dans l'évier.

Elle avait fait ce geste machinalement et s'apprêtait à passer ses mains à l'eau lorsqu'elle se sentit happée par le poignet. Une lueur incrédule au fond des yeux, elle vit Sin porter le doigt plein de crème à ses lèvres et le lécher consciencieusement, sans la quitter des yeux. Le cœur battant à tout rompre, Mara crut défaillir. Malgré elle, elle se sentait sombrer dans les profondeurs insondables du regard bleu posé sur elle. Dans un dernier sursaut, elle balbutia.

— Cessez ce jeu, Sin, je vous en prie...

Malgré la satisfaction qui se peignit sur le visage de ce dernier, il ne lâcha pas prise pour autant.

— Cessez ce jeu... qui ? demanda-t-il afin de l'entendre répéter son prénom.

— Sin, capitula Mara dans un souffle.

A peine avait-elle eu le temps de formuler ce nom qu'une bouche impérieuse prit possession de la sienne. En même temps, une main de fer lui enserrait la taille. Sous la violence du baiser, elle sentit s'embraser son propre désir. Jetant ses bras autour du cou de Sin, elle se pressa contre sa poitrine.

Mais cet abandon ne suffit pas au jeune homme qui se fit plus exigeant encore. Confondue par tant d'ardeur, Mara chancela sur ses jambes. C'est le moment que choisit Sin pour se détacher d'elle. Elle leva sur lui un regard éperdu où se lisait un vibrant appel.

— Adam va se demander ce qu'il est advenu du

dessert, laissa-t-il tomber en guise d'explication. Nous ferions mieux de le lui apporter sans tarder.

Le dessert ? Adam ? Comment pouvait-il se soucier de tels détails en un moment pareil ? songea la jeune fille éberluée. Pour sa part, de telles préoccupations étaient bien loin de son esprit ! Seule la conscience qu'il lisait en elle à livre ouvert l'amena à se dégager de ses bras.

Les mains tremblantes, elle commença à napper de crème les parts de gâteau. L'exaltation retombée, elle éprouvait une sorte d'ivresse qui l'empêchait momentanément de mesurer les conséquences de son acte.

Lorsque les trois assiettes eurent chacune reçu leur dû, Sin s'empara de deux d'entre elles, laissant à Mara le soin de porter la sienne à la salle à manger. Elle le suivit dans une sorte d'état second, comme une somnambule. C'était ce qu'il attendait d'elle, et elle lui obéissait.

— Je commençais à me demander où vous étiez passés, s'écria Adam en les voyant. Vous en avez mis un temps !

— C'est ma faute, déclara Sin, épargnant ainsi à la jeune fille le souci de trouver une excuse.

Parfaitement maître de lui, il posa une des assiettes à dessert devant Adam avant d'écarter poliment la chaise de Mara.

— Je suis un gourmand invétéré et j'ai voulu goûter à tous ces délices...

La jeune fille baissa les yeux pour éviter le regard inquisiteur de son père. Elle était bien placée pour savoir à quoi Sin faisait allusion... Encore troublée, elle bénit le ciel d'avoir réussi un gâteau aussi léger. Elle aurait été incapable d'avaler quoi que ce fût d'autre...

Le dessert terminé, Adam recula son fauteuil et se frotta les mains de satisfaction.

— Quel délicieux déjeuner ! Mara, tu t'es surpassée !

— Il reste du gâteau, si tu veux...

— Non, ce ne serait pas raisonnable. Mais Sin désirerait peut-être en reprendre ?

— Non merci. Tout était très bon, Mara. Je vous félicite !

Soupçonnant un double sens à ce compliment, la jeune fille se contenta d'acquiescer sans rien dire.

— Il manque néanmoins une chose pour terminer ce repas en beauté… constata son père. Le café !

— Je vais le préparer. Pourquoi ne le prendriez-vous pas au salon ? ajouta vivement Mara. Cela me permettrait de débarrasser plus facilement.

— A condition que vous le preniez avec nous d'abord !

La suggestion venait de Sin.

— Les assiettes peuvent attendre. Je me ferai un plaisir de vous aider plus tard !

— Non !

La réponse avait jailli spontanément des lèvres de la jeune fille. Elle tenta d'en atténuer la sécheresse.

— Merci, mais je n'ai pas envie de café pour l'instant.

Et elle se leva de table pour commencer à desservir.

— Passez au salon, je vous apporte le café dans un instant.

Tandis qu'Adam dirigeait son fauteuil vers la pièce voisine, elle emporta les assiettes dans la cuisine. Mais au moment de pousser la porte à deux battants qui donnait accès à celle-ci, une main s'interposa pour l'aider. Sin la suivait, les verres à la main.

— Merci, jeta-t-elle sèchement.

Sa gratitude était feinte ; elle n'avait aucune envie de se retrouver seule avec lui.

— Ne vous avais-je pas promis de vous aider ?

Pour précipiter les choses, Mara se hâta de disposer les tasses et le sucrier sur un plateau.

— Voilà ! Vous pouvez emporter cela au salon. Cela m'évitera un voyage.

Elle mit l'eau à bouillir.

— Inutile de mettre une seconde tasse sur le plateau, intervint Sin. Je ne prendrai pas mon café maintenant... Je préfère le prendre avec vous, lorsque nous aurons fini la vaisselle. Qu'attendez-vous de moi? Je lave ou j'essuie?

— Ni l'un ni l'autre, rétorqua-t-elle froidement. Je sais où tout se range, et je préfère m'acquitter toute seule de cette tâche.

— Mais vous avez déjà fait la cuisine! protesta-t-il d'une voix suave. Il ne serait pas très élégant de ma part de vous laisser tout ranger...

— J'ai l'habitude. Croyez-moi, cela ne m'ennuie pas du tout.

— Eh bien moi, cela me gêne!

— Adam ne sera pas content si vous le laissez prendre son café tout seul, objecta-t-elle à bout d'arguments. Vous êtes son invité, ne l'oubliez pas! Allez le rejoindre. Il se réjouit tellement de votre compagnie!

— Et vous? lança-t-il sur le ton du défi.

— Moi, non.

Mara ajouta un pot d'eau chaude et une cuillère sur le plateau. Après quoi, elle s'en empara et le lui tendit.

— Si vous n'y allez pas, j'y vais.

— Dans ce cas, je m'exécute.

Mais auparavant, Sin prit soin d'enlever la seconde tasse et de la poser sur le buffet.

— Je reviens vous aider, ajouta-t-il.

— Non!

Trop tard; le jeune homme avait déjà disparu. Au comble de l'exaspération, Mara se tourna vers l'évier.

Elle était accablée par un terrible sentiment d'impuissance. Où était la belle carapace qu'elle avait réussi à se forger au cours de tant d'années d'épreuves? Il avait suffi que Sin surgisse pour qu'elle fonde comme neige au soleil. Non, c'était trop injuste! Elle s'agrippa de toutes ses forces au rebord de l'évier comme si cela pouvait suffire à la protéger contre l'incroyable magnétisme qui émanait de cet homme.

Un bruit de pas se fit entendre dans le corridor. Prestement, elle s'empara de son tablier et le noua autour de sa taille. Elle faisait couler l'eau lorsque Sin entra.

— Si vous avez décidé de laver, je me chargerai donc d'essuyer, déclara-t-il. Où sont les torchons ?

— C'est très aimable à vous de vouloir m'aider, mais je ne peux pas l'accepter.

Elle parlait en détachant chaque syllabe pour ne pas être tentée de hurler.

— Vous pourriez tacher votre costume, et je ne me le pardonnerais pas.

C'était une bien piètre excuse, mais elle n'avait rien trouvé d'autre…

— Qu'à cela ne tienne ! Je mettrai un tablier, comme vous !

Décidément, il avait réponse à tout.

— Ne soyez pas ridicule ! jeta-t-elle, le regard étincelant de colère.

— Ce n'est pas moi, c'est vous.

— Ne comprenez-vous pas ? Je n'ai aucune envie que vous m'aidiez !

— Pourquoi une telle obstination ?

Il lui prit le menton et l'obligea à le regarder dans les yeux.

C'était plus qu'elle n'en pouvait supporter. Elle se dégagea d'un geste brusque.

— Vous me faites horreur ! Vous sentir auprès de moi me révulse !

— Pourquoi ?

Il l'observait d'un air intrigué.

— Vous êtes-vous seulement posé la question ? poursuivit-il. Eh bien, moi je vais vous répondre : vous vous sentez tout à coup vulnérable, voilà la vérité !

— Je me moque de vos interprétations ! Laissez-moi seule, c'est tout ce que je vous demande !

Il la relâcha, une lueur amusée au fond des yeux.

— Et vous croyez que cela suffira à vous rendre la paix ? L'attirance physique est un dénominateur commun à tout le genre humain. Personne ne peut se vanter d'y échapper !

— Cela n'a rien à voir dans cette histoire.

Elle se défendait avec l'énergie du désespoir.

— Du moins pas encore... murmura-t-il.

Et Mara de se sentir à nouveau comme happée par le redoutable magnétisme de son interlocuteur... Pour échapper à ce sortilège, elle était prête à tout.

— Peu importe ce qu'il m'en coûtera, lança-t-elle, mais vous quitterez le cottage ! Vous allez disparaître de ma vie ! Je ne veux plus vous voir !

Inconsciemment, elle avait élevé la voix, au fur et à mesure que la panique s'emparait d'elle. Ivre de rage, elle n'entendit pas approcher le fauteuil roulant de son père.

Interdit, celui-ci s'arrêta sur le seuil de la cuisine.

— Que se passe-t-il ici ? Veux-tu bien t'expliquer, Mara ? Je t'entends crier depuis le salon !

La jeune fille tourna vers son père un visage bouleversé.

— Fais-le sortir d'ici, je t'en prie ! cria-t-elle un doigt pointé sur Sin. Qu'il quitte cette cuisine sur-le-champ ! Je ne veux plus le voir !

Adam hésitait. Frappé de stupéfaction, son regard allait de l'un à l'autre.

— Je crois, Sin, que vous feriez mieux...

— ... de poursuivre mes démêlés avec votre fille en privé ! C'est aussi mon avis.

— Non ! hurla Mara, au bord de la crise de nerfs. Nous n'avons plus rien à nous dire ! Je ne veux plus vous voir ici ! Je n'ai que faire de vous et de votre maudite arrogance !

— Là, vous vous trompez...

Il n'avait pas cillé et l'observait, aussi invulnérable qu'un bloc de granit.

Elle se tourna vers son père. Allait-il oser prendre parti contre elle ? L'abandonner comme il l'avait déjà fait une fois ? Mais non, il les contemplait tour à tour, Sin et elle, comme s'il caressait, en son for intérieur, quelque pensée secrète.

— Un conseil, Sin, venez avec moi. Je connais suffisamment Mara pour savoir qu'elle n'est pas d'humeur à entendre raison...

Sur ce, il tourna son fauteuil vers la porte, ne doutant pas un instant que le jeune homme allait le suivre.

Pourtant, ce dernier hésita. Il n'avait pas dit son dernier mot, cela se lisait dans son regard.

— Adam a raison, lança-t-il enfin en s'emparant de la tasse restée sur le buffet. Accepter de perdre une bataille est parfois la meilleure façon de gagner la guerre !

Sur cette sentence, il sortit, la laissant seule et désemparée. La victoire avait pour elle un curieux goût d'amertume. Elle ferma les yeux comme si cela pouvait suffire à retenir ses larmes. Des sanglots la secouèrent, qu'elle s'efforça de réprimer. Tout en elle n'était que souffrance, angoisse et confusion.

Que lui arrivait-il ? Elle ne se reconnaissait plus. Jamais, même dans la solitude de sa chambre, elle ne s'était laissée aller à de tels débordements ! Jusque-là, elle avait toujours réussi à se dominer. Quel monstre était donc Sin pour lui faire perdre ainsi le contrôle d'elle-même ? Maintenant que tout était terminé, elle n'était même pas sûre de pouvoir reprendre le dessus.

Les sentiments que le jeune homme éveillait en elle dès qu'il l'approchait étaient nouveaux pour Mara. Etait-ce cette fameuse attirance physique dont il lui avait parlé ? Elle refusait d'en convenir. Et pourtant, quel autre nom donner aux ravages qu'il déchaînait en elle ?

Lorsque la tempête s'apaisa enfin, la jeune fille était à la limite de l'épuisement. Au prix d'un douloureux effort, elle termina la vaisselle et remit la cuisine en ordre. Sa tâche accomplie, elle se sentit envahie d'une langueur bienvenue.

Reprenant confiance, elle abandonna la cuisine, qui était devenue son refuge, pour rejoindre son père au salon. Ignorant la pâleur qui accusait ses traits, elle se sentait à nouveau capable d'affronter Sin.

La conversation s'arrêta à la seconde même où elle entrait dans la pièce. Mais nulle gêne n'affectait le regard de l'invité de son père lorsqu'il se tourna vers elle. Au contraire, confortablement installé dans son fauteuil, les jambes croisées, son attitude témoignait d'une parfaite décontraction. Cependant, sans savoir pourquoi, Mara le devina sur la défensive.

— Encore là ? laissa-t-elle tomber d'un ton faussement désinvolte. Je vous croyais parti depuis longtemps !

Son père crut bon d'intervenir.

— Si tu veux du café, Mara, j'ai bien peur que tu ne sois obligée d'en refaire. Sin et moi avons presque vidé la cafetière !

— Vous auriez dû me prévenir. Je vous en aurais préparé davantage, rétorqua-t-elle d'une voix suave.

— Nous étions trop absorbés par notre conversation... remarque Sin sur un ton détaché. Il faut dire que le sujet en valait la peine !

— Ah oui ? répondit-elle en feignant l'indifférence.

— Oui. Adam et moi parlions de vous et de... ce qui se cache derrière votre charmant visage.

Un court silence suivit la déclaration de Sin.

— Ce n'est pas très joli de parler des gens lorsqu'ils ne sont pas là pour se défendre, riposta enfin Mara.

— Mille excuses ! fit-il avec un sourire indolent qui

démentait sa sincérité. La prochaine fois, nous procéderons différemment. Que diriez-vous d'une thérapie de groupe ?

— Vos méthodes de thérapie ne m'intéressent pas !

Elle savait trop bien ce qu'il entendait par là...

— Pourtant, il serait intéressant pour vous de connaître nos conclusions... Adam et moi sommes convaincus que sous votre apparente froideur se cache une grande lâcheté.

Sin n'avait même pas pris la peine de la regarder. Toute son attention semblait concentrée sur l'extrémité de sa cigarette.

— Comment ? fit-elle d'un ton où se disputaient la stupéfaction et la colère.

Elle regarda son père comme pour le prendre à témoin.

— Ce n'est encore qu'une théorie, argua celui-ci en guise de consolation.

— Oui, renchérit Sin. Et comme toutes les théories, elle demande à être vérifiée...

Malgré elle, Mara était touchée au vif. Néanmoins, elle s'appliqua à n'en rien laisser paraître.

— Je vous le répète : vos théories ne m'intéressent pas. Je vous refais du café ?

— Pas pour moi, merci, répondit son père.

— Moi non plus.

Sin exhala lentement la fumée de sa cigarette.

— Au risque de me répéter, reprit-il, je voudrais vous dire encore, Mara, combien votre déjeuner était délicieux !

— Merci.

Elle était un peu interdite qu'il eût accepté si facilement de changer de sujet.

— Il n'y a vraiment pas de quoi, répliqua-t-il avec son habituelle arrogance.

Comme Mara s'emparait du plateau pour le ramener à la cuisine, il ajouta :

110

— Pour vous remercier de votre hospitalité, je serais heureux de vous inviter à dîner samedi soir.

Elle le considéra avec méfiance.

— Merci, mais étant donné les difficultés d'Adam à se déplacer, il nous est impossible d'accepter.

— Vous avez sans doute mal compris mon invitation. Elle s'adressait à vous, non à votre père !

Afin de prévenir tout refus de sa part, il ajouta :

— Adam m'a déjà donné son autorisation. Je l'ai assuré que je n'avais aucunement l'intention de séduire sa fille, et il a accepté de me faire confiance.

Une vive rougeur enflamma le visage de Mara. Ivre de colère, elle lança :

— Je me moque bien qu'Adam me donne ou non sa permission ! Mais une chose est certaine : je n'irai pas dîner chez vous ! Inutile d'insister, c'est hors de question !

Alors que la jeune fille s'acheminait d'un pas décidé vers la cuisine, il la rattrapa et la força à s'arrêter.

— Vous oubliez un détail. Nous avons à discuter tous les deux.

— Ah oui ? fit-elle en sentant ses jambes faiblir. Je ne vois vraiment pas de quoi !

A le sentir si proche, sa belle assurance commençait déjà à la trahir.

Il la considéra, les yeux mi-clos, à travers la fumée de sa cigarette.

— Vraiment ? Souvenez-vous... A propos du cottage, et de la date à laquelle je dois libérer les lieux.

— Une telle conversation n'a pas sa place au cours d'un dîner. Nous pouvons aussi bien en parler ici.

Il parut se rapprocher dangereusement.

— Samedi soir, à six heures au cottage. C'est le seul moment où je sois disponible pour discuter des modalités concernant mon départ.

— Mais c'est du chantage ! s'indigna Mara, le souffle court.

— Appelez cela comme vous voudrez.

Il se pencha pour écraser sa cigarette dans le cendrier le plus proche.

— Quoi qu'il en soit, je vous attends samedi à l'heure dite. Si vous n'êtes pas aussi lâche que vous en avez l'air, vous viendrez.

Ignorant l'indignation de la jeune fille, il se tourna vers son père.

— Il est temps pour moi de vous quitter, Adam. J'ai été ravi de m'entretenir avec vous. Merci encore, et à bientôt !

Mara le vit refermer la porte sur lui sans pouvoir proférer une parole. Au bout d'un moment, comme au sortir d'un rêve, elle découvrit le regard de son père posé sur elle. Elle crut y déceler une lueur de sympathie, mais ne se laissa pas attendrir pour autant.

— Chantage ou pas, je n'irai pas dîner chez lui !

C'était la réponse qu'elle aurait dû faire à Sin s'il n'était pas parti.

— Cela te regarde, dit Adam en haussant les épaules. Je me garderai bien d'intervenir dans ta décision.

— S'il en est ainsi, pourquoi avoir cru bon de lui donner ton autorisation ? Je suis majeure, il me semble !

— Mon autorisation n'est pas le mot qui convient. Sin m'a demandé si je ne voyais pas d'objections à rester seul samedi soir parce qu'il désirait dîner en tête à tête avec toi. Je lui ai simplement répondu que je n'en voyais aucune, et que tu étais libre de sortir avec lui si tu en avais envie.

— Eh bien, je n'en ai pas envie, coupa-t-elle sèchement. Et si c'est aussi simple que cela, peux-tu me dire pourquoi il a dû te donner sa parole qu'il ne chercherait pas à me séduire ?

— Je pense qu'il voulait par là nous rassurer tous les deux sur son honorabilité. Après l'avoir vu avec Célène, nous aurions pu croire…

Il ne précisa pas sa pensée et enchaîna aussitôt.

112

— Mais je lui fais confiance. C'est un homme d'honneur !

— Par bonheur pour lui, il n'aura pas à le prouver : je ne me rendrai pas à son invitation de samedi. Non pas par lâcheté...

— Si tu le dis, coupa son père d'un ton sceptique.

— Je n'ai pas l'habitude de me dérober, tu le sais très bien ! répliqua Mara avec colère.

— Il y a un moyen très simple pour toi d'en faire la démonstration...

Adam fit pivoter son fauteuil avant de jeter négligemment.

— Je crois qu'il y a un match de football à la télévision. Je vais le regarder dans ma chambre.

Mara soupira. Elle était lasse de toutes ces discussions et fut presque reconnaissante à son père de la laisser seule.

8

Le col de son anorak frileusement resserré autour de son cou, Mara s'arrêta pour contempler les fenêtres allumées du cottage. Il faisait froid, le ciel était bas et la neige menaçait. Sa nervosité devint brusquement intolérable.

Cent fois, elle avait failli rebrousser chemin. Mais, tel un aiguillon, le défi lancé par Sin l'avait forcée à continuer : quoi qu'il lui en coûte, elle irait à ce dîner. Tout plutôt que d'être accusée de lâcheté... Elle comprit soudain que le jeune homme n'en avait jamais douté et frissonna : ne serait-elle donc jamais qu'un jouet entre ses mains ?

Le cœur battant, elle franchit les derniers mètres qui la séparaient de la porte et frappa timidement deux coups. A peine eut-elle le temps de prendre une profonde inspiration que le battant s'ouvrit largement pour la laisser entrer.

D'un pas qu'elle voulait assuré, elle pénétra dans le cottage. Sin ne lui avait jamais paru plus impressionnant. Elle détourna vivement les yeux, non sans avoir eu le temps de noter le chandail blanc qui mettait en valeur ses larges épaules.

Un feu crépitait dans la cheminée. Avec la lampe allumée sur la petite table basse, c'était le seul éclairage de la pièce. La pendule égrena l'heure.

— Quelle exactitude ! s'écria Sin. Vous êtes toujours aussi ponctuelle ?

— Oui.

Mara ne pouvait se défaire du désagréable sentiment d'être la brebis venue se fourvoyer dans l'antre du loup.

Comme il lui tendait la main, elle ne put s'empêcher de reculer d'un air effrayé. Aussitôt, un sourire amusé se joua sur les lèvres de Sin.

— Vous ne voulez pas que je vous débarrasse de votre manteau ?

C'était donc ça ! Mara commença fébrilement à dégrafer ses boutons, mais ses doigts glacés n'étaient pas d'une grande efficacité. Lorsqu'elle parvint enfin au bout de sa tâche, une main secourable l'aida à se dévêtir.

— Merci, murmura-t-elle du bout des lèvres, attentive à ne pas laisser deviner son trouble.

Un réflexe la poussa néanmoins à regarder où Sin mettait son manteau. Au cas où elle aurait eu à précipiter son départ, cette précaution pouvait s'avérer utile.

— Comment aimez-vous votre steak ? s'enquit négligemment son hôte.

— A point, répondit-elle machinalement.

— Je l'aurais deviné...

Un sourire au coin des lèvres, il ne cessait de la dévisager. La sensualité sans équivoque de ce regard irrita Mara qui croisa les bras sur sa poitrine. Il réussissait à lui donner l'impression qu'elle était vêtue de manière provocante, alors qu'il n'en était rien.

Sa blouse de soie, assortie à son pantalon, était ample et d'un bleu très doux. Les boutons peut-être ?... Instinctivement, elle éprouva le besoin de les vérifier l'un après l'autre. Rassurée, elle releva fièrement la tête. Mais son assurance était feinte. Au fond d'elle-même, elle éprouvait une détestable impression de malaise.

116

— Je vous sers quelque chose à boire ?

En dépit de la question badine, la même lueur dansait toujours dans les yeux de son hôte.

— Non merci.

La résolution de Mara semblait inébranlable. Sin ne s'y trompa pas et jugea inutile d'insister.

— Dans ce cas, vous allez m'excuser, car je dois m'occuper de la cuisson des steaks. Mais peut-être préférez-vous m'accompagner à la cuisine ?

La jeune fille n'hésita pas une seconde. La cuisine était infiniment mieux éclairée que les abords de la cheminée.

— Je vous suis, acquiesça-t-elle.

— Auriez-vous des doutes sur mes capacités culinaires ?

Sans attendre la réponse, Sin entra dans la cuisine et mis les steaks à griller dans la rôtissoire. Sur la petite table soigneusement dressée, deux couverts se faisaient face. Une salade composée trônait au centre dans un saladier de bois.

— Si vous le voulez, nous pouvons passer à table sans plus attendre et commencer l'entrée.

Il tournait la salade lorsqu'il surprit le regard de Mara posé sur leurs deux verres remplis de vin.

— J'espère que vous aimez le vin ? s'enquit-il en souriant. Le champagne ne me paraît pas être votre genre...

« Mais plutôt celui de Célène ! » songea Mara en se remémorant l'arrivée de la jeune fille, le premier jour, au cottage. Déjà, Sin reprenait :

— J'ai supposé que quelque chose de plus classique... comme un bon bourgogne, vous conviendrait davantage.

Ce disant, il écarta une chaise pour inviter la jeune fille à s'asseoir.

— A propos du cottage... commença-t-elle, manifestement désireuse de lui rappeler l'objet de sa visite.

— Je ne parle jamais affaires avant ou pendant un repas, coupa-t-il abruptement.

Mara réprima un geste d'impatience. Quoi qu'il arrive, elle s'était juré de garder son sang-froid. Ce n'était pas le moment de faillir à son serment. Impassible, elle prit place sur le siège que son hôte lui offrait et déplia posément sa serviette.

— Vous aimez les assaisonnements relevés, j'espère ? lui dit-il en s'asseyant en face d'elle. Cette salade italienne est une de mes compositions...

Elle se sentit obligée de faire preuve de courtoisie.

— Délicieuse ! s'écria-t-elle dès la première bouchée.

— Tout le secret tient dans les feuille de basilic, lui confia-t-il. C'est ce qui donne à l'ensemble ce goût si particulier...

— Ah !...

Prise au dépourvu, Mara éprouvait quelques difficultés à s'adapter à ce genre de conversation. Habituée aux railleries de Sin et à la pertinence parfois gênante de ses remarques, ce badinage était tout nouveau pour elle. Et il le savait, c'était évident.

Au bout de quelques minutes, le jeune homme se leva pour aller voir où en était la cuisson des steaks. La délicieuse odeur qui se dégageait de la rôtissoire laissait présager d'un heureux résultat. Et Mara, qui avait cru ne pas pouvoir avaler une bouchée, ressentit tout à coup les premières attaques de la faim.

— Vous devez aimer faire la cuisine pour la réussir avec autant de succès ?

— Je ne me suis jamais posé la question, je l'avoue...

Désorientée, elle cherchait en vain une réponse toute faite.

— Pour moi, c'est plutôt une obligation qui se répète quotidiennement. Mais c'est un fait, j'y prends un certain plaisir. Et vous ?

118

— N'ayant pas, comme vous, l'inconvénient de devoir la faire tous les jours, la cuisine est pour moi une détente...

— Si je comprends bien, lorsque vous êtes à Baltimore, vous prenez la plupart de vos repas au restaurant. A moins que...

Elle risqua un regard en direction de l'annulaire gauche de son interlocuteur. Le fait qu'il ne soit pas marié à Célène n'entraînait pas systématiquement qu'il ne soit pas marié du tout, ou ne l'ait jamais été... En vérité, elle ne savait rien de lui ni du contexte dans lequel il vivait : son travail, ses distractions... elle ignorait tout.

Son regard n'avait pas échappé à Sin qui retint à grand-peine un sourire.

— Je ne suis pas marié. Croyez-vous que j'aurais pu avoir une épouse assez compréhensive pour attendre patiemment mon retour de vacances à Baltimore ? Pour ma part, je doute fort qu'un tel modèle de tolérance puisse exister...

Mara dut s'avouer qu'il avait raison.

— Mais vous auriez pu être séparé ou divorcé, que sais-je ?

— Ni l'un ni l'autre. Je suis veuf. Ma femme a succombé à une grave maladie il y a sept ans.

Cette révélation, faite sur un ton impersonnel, ne recélait pas la moindre trace de chagrin.

— Oh ! je suis navrée... murmura-t-elle, convaincue de l'obligation où elle se trouvait de manifester sa sympathie.

Malgré elle, elle leva sur lui un regard intrigué. Elle essayait de se représenter les circonstances de ce mariage et l'attitude qui avait dû être celle de Sin envers une femme dont la santé s'était dégradée. Comment avait-il réagi ?

— Lorsque je l'ai épousée, l'état de santé d'Anne

n'avait pas de secret pour moi, déclara son interlocuteur sans lui laisser le temps de formuler sa question.

— Mais alors... pourquoi l'avoir épousée ?

Mara était interdite.

— Parce que j'avais à cœur de veiller sur elle et d'adoucir ses derniers instants.

Cette réponse la désorienta. Elle avait peine à croire à de si nobles motifs de la part d'un homme comme lui. Elle piocha distraitement une bouchée de salade dans son assiette.

— Vous auriez tout aussi bien pu le faire sans aller jusqu'à l'épouser, répliqua-t-elle d'un ton sarcastique.

— J'aurais manqué à ce que je considérais comme mon plus élémentaire devoir. Anne n'avait personne d'autre sur qui compter. Vous devriez comprendre cela mieux que personne, Mara. Car vous aussi, vous auriez pu mettre Adam dans une maison spécialisée au lieu de l'accueillir chez vous...

Avec son habileté coutumière, Sin avait réussi à faire dévier la conversation.

— Les situations ne sont pas comparables, rétorqua-t-elle sèchement.

— Croyez-vous ?

D'une voix sourde, il ajouta sans la quitter des yeux.

— Il semble que je sois voué à recueillir les âmes perdues...

Il s'aperçut alors que l'assiette de son invitée était vide.

— Vous avez terminé ?

— Oui, merci.

Très droite sur sa chaise, Mara le regarda débarrasser.

Les steaks étaient prêts. La jeune fille se vit gratifier d'un plantureux morceau de viande accompagné de pommes de terre cuites sous la cendre et généreusement arrosées de crème fraîche.

— Pour répondre à votre question précédente,

reprit-il, je prends assez rarement mes repas à l'extérieur lorsque je suis à Baltimore...

Tout en parlant, Sin avait repris sa place en face d'elle.

— Pour la bonne raison que j'ai chez moi une femme de ménage qui fait également office de cuisinière. Et comme celle-ci se repose en fin de semaine, vous n'aurez sans doute aucun mal à deviner pourquoi je viens passer tous mes week-ends ici. A cela s'ajoute évidemment l'intérêt que représente pour moi la possibilité de travailler sans être dérangé.

— Dans quelle branche travaillez-vous ? Vous êtes à la tête d'une société, je crois ?

Mara se souvenait de l'enquête effectuée par Harvey Bennett sur celui qui allait devenir son locataire.

— Oui, ou plus exactement un groupe de sociétés dont les activités sont très diversifiées. Mon rôle consiste principalement à gérer et à organiser cet ensemble. Comme vous le voyez, un travail de bureau qui comprend néanmoins une grosse part de risques.

Mara sentit qu'il restait volontairement en dessous de la vérité et minimisait son rôle. En réalité, elle le voyait très bien magnat de la haute finance, manipulant hommes et chiffres avec un égal brio. Sans aucun doute, il en avait l'envergure.

Aussi ne fut-elle pas surprise le moins du monde de l'entendre ajouter ;

— Cette compagnie a été fondée par mon père. A sa mort, survenue il y a quelques années, j'en ai hérité.

Voilà qui expliquait son détachement à l'égard de l'argent, songea la jeune fille en se remémorant le généreux chèque qu'il lui avait octroyé lors de la signature du contrat de location. Il avait dû être habitué à obtenir tout ce qu'il voulait sans tenir compte du prix.

— Et sous votre coupe, la compagnie a pris de l'extension, j'imagine ?

Elle voulait lui montrer qu'elle n'était pas dupe. Il

leva sur elle un regard bleu où perçait une pointe d'étonnement.

— Oui, en effet...

Le peu qu'elle venait d'apprendre lui donna envie d'en savoir davantage sur cet homme qui, bien qu'elle s'en défende, ne cessait de l'intriguer. Tout à cette conversation, elle en oubliait ce qu'elle mangeait.

— Pourquoi venir passer les fêtes ici ? lui demanda-t-elle. Votre père disparu, vous n'avez pas d'autre famille ?

— De lointains cousins sur la côte Ouest, mais c'est tout. Je n'ai ni frères ni sœurs. Ma mère est morte alors que j'étais encore au collège... Si j'étais resté à Baltimore en cette période de fête, je sais trop bien ce qui me serait arrivé : Ginger, ma cuisinière, aurait absolument tenu à me préparer un repas digne de la circonstance, et c'eût été un épouvantable gâchis ! Non, j'ai préféré lui octroyer une semaine de vacances et venir ici.

Un brusque sourire se dessina sur ses lèvres.

— Or, il s'avère que je n'ai pas perdu au change puisque j'ai eu le plaisir et l'honneur de savourer un délicieux déjeuner en compagnie de votre père et vous.

La jeune fille sentit son cœur battre plus vite. Etait-ce le sourire ou l'aveu du plaisir qu'il trouvait en sa compagnie ? Elle n'aurait su le dire...

— Je me demande ce que vous pouvez bien trouver à faire ici en dehors du « jogging » ? jeta-t-elle pour tromper son trouble. Vous ne vous ennuyez pas ?

— J'en profite pour faire une foule de choses dont je n'ai jamais le temps de m'acquitter chez moi : de la correspondance en retard, des organigrammes à préparer, des rapports à étudier... Mais surtout et avant tout, je me détends.

Il remplit leurs deux verres.

— Cette soirée avec vous sera sans conteste une des plus animées que j'ai passées ici.

« Sans compter celles en compagnie de Célène »,
conclut intérieurement Mara avant de demander négligemment.

— Pourquoi n'amenez-vous plus jamais Miss Taylor ?

— A petites doses, répliqua-t-il sèchement, la compagnie de Célène peut s'avérer stimulante. Mais à
longue échéance, on risque fort de s'en lasser.

— Trop de « Sin chéri », peut-être ?

Sans le vouloir, Mara avait adopté un ton nouveau,
comme si elle s'adressait à un vieil ami.

— Quelque chose comme ça, en effet...

Le visage imperturbable de son compagnon ne révé-
lait en rien s'il avait noté le changement de ton de sa
compagne.

— Comment avez-vous trouvé votre steak ?

— Excellent.

Elle qui s'attendait à manger du bout des lèvres
s'étonna de découvrir que son assiette était vide. Malgré
sa nervosité, elle n'en avait pas laissé une seule bouchée.

— Où avez-vous appris à cuisiner ? ne put-elle s'empêcher de lui demander.

— La nécessité : lorsque je rentre après minuit d'une
interminable réunion, je ne vais pas réveiller quelqu'un
pour me préparer à dîner.

— Et cela vous arrive souvent ?

— Assez souvent.

Sur ce, il se leva et empila leurs deux assiettes l'une
sur l'autre avant de les porter dans l'évier.

— Le dessert se compose en tout et pour tout d'un
plateau de fruits. La pâtisserie n'est pas mon fort, je le
crains... Nous pourrions le prendre au salon, qu'en
dites-vous ? Je débarrasse la table et je vous rejoins.

— Je vais vous aider, proposa-t-elle.

— Il n'en est pas question ! Vous avez refusé mon
aide l'autre jour, je me dois de refuser la vôtre
aujourd'hui. J'en ai pour une minute. Je ferai la
vaisselle plus tard.

123

En le voyant s'affairer tandis qu'elle restait assise, Mara sentit renaître son impression de malaise de tout à l'heure. Elle s'éloigna d'une démarche un peu rigide, son verre de vin à la main, pour gagner le salon. Sin la suivit avec son propre verre et le plateau de dessert.

Dans le living-room régnait une douce pénombre qui favorisait l'intimité. Les bûches achevaient de se consumer au milieu d'un lit de cendres dont la couleur rappelait étrangement celle de la chevelure du maître de maison. Celui-ci posa le plateau sur la table basse qui faisait face au canapé. Gênée, Mara se tenait à ses côtés sans savoir que faire. L'ambiance feutrée qui se dégageait de la pièce lui donnait envie de fuir.

— Servez-vous, lui dit Sin en allant remettre une bûche dans la cheminée.

D'une main hésitante, la jeune fille s'empara d'une pomme et commença à la grignoter. Les coussins du canapé étaient trop moelleux pour qu'elle se risque à s'y asseoir. Aussi choisit-elle de rester debout tandis que Sin s'agenouillait devant le foyer et ravivait les cendres. Parmi toutes les questions qu'elle lui avait posées, une seule restait sans réponse.

— A propos du cottage, risqua-t-elle à brûle-pourpoint, quand le quitterez-vous ?

— A l'expiration de mon bail, répondit-il sans se retourner.

— Mais...

— Nous avons signé un contrat, n'est-ce pas ?

Il s'était redressé et l'on entendait le feu crépiter dans l'âtre avec une vigueur nouvelle.

— Nous ne pouvons faire autrement que de le respecter, reprit-il. Si mes souvenirs sont bons, c'est bien vous qui avez insisté pour une durée d'un an ?

— Mais je croyais être venue ici pour discuter de votre départ ! s'écria Mara d'une voix blanche.

— Eh bien, vous connaissez dorénavant ma position.

Le calme dont il faisait preuve ne fit que renforcer l'exaspération de son interlocutrice.

— Ainsi, vous n'avez nullement l'intention de libérer le cottage avant la limite fixée par le contrat ? Pourtant, vous m'aviez laissé entendre...

— Je ne vous avais rien laissé entendre du tout. Et d'ailleurs, si vous êtes ici ce soir, ce n'est pas pour discuter du cottage mais bien pour ne pas être accusée de lâcheté ! conclut Sin avec certitude.

— S'il est un défaut dont on ne peut m'accuser, c'est bien celui-là !

Tout en parlant, Mara serrait son verre entre ses doigts ; on eût dit qu'il allait éclater.

Sin consentit enfin à se tourner vers elle.

— Adam et moi avons eu une discussion très intéressante l'autre jour, pendant que vous étiez à la cuisine. Nous avons parlé d'une foule de choses...

— J'imagine sans peine les histoires qu'il a pu vous raconter, rétorqua la jeune fille avec amertume.

— Il m'a expliqué le mal que vous a fait son divorce avec votre mère.

Elle avait beau ne pas distinguer ses traits dans la pénombre, elle sentait sur elle l'intensité de son regard.

— Le « mal », dites-vous ? Laissez-moi vous dire que le mot est un peu faible. Ma mère en est morte ! Mais peut-être a-t-il omis de vous l'apprendre ?

— Et lui, croyez-vous qu'il n'a pas souffert ? répliqua-t-il sans tenir compte de sa question.

— Je crois seulement à une chose, rétorqua-t-elle en se dirigeant vers le feu comme si elle espérait s'y réchauffer. Et cette chose, c'est l'éternelle inconstance des hommes.

— J'ai d'abord pensé que vous aviez construit autour de vous une sorte de muraille pour empêcher les autres de vous approcher. Je n'avais qu'à demi-raison... En fait, si vous vous repliez ainsi sur vous-même, c'est pour éviter à tout prix de souffrir. Vous ne voulez pas qu'un autre, un jour, puisse vous abandonner comme l'a fait votre père.

— Et alors, n'est-ce pas là une sage précaution ? Mara le défiait du regard.

— Peut-être, répondit-il, mais c'est malheureusement impossible.

Après lui avoir jeté un coup d'œil oblique, il vint se placer juste derrière elle.

— On ne peut refouler indéfiniment ses désirs et ses passions sans risquer de les voir resurgir un jour.

Comme si ce geste suffisait à réprimer les battements de son cœur, Mara croisa les bras sur sa poitrine. Elle sentait le souffle de Sin sur sa nuque. Il ne la touchait pas, mais sa seule proximité suffisait à la bouleverser.

— Même si votre esprit le pouvait, poursuivit-il, votre corps vous trahirait. Il est fait pour accomplir certaines fonctions biologiques qui se déclenchent sous l'action d'incitations extérieures...

Pour appuyer sa déclaration, il la saisit par la taille. La jeune fille essaya de se dégager, mais il resserra son étreinte.

— Et contre cela, vous ne pouvez rien... C'est une réaction purement chimique.

— La fameuse attirance sexuelle !

Elle essayait de donner le change en adoptant un ton railleur.

— Oui. Et il est très mauvais d'essayer de la combattre.

Ce disant, il la débarrassa du verre de vin qu'elle tenait à la main et le posa sur le manteau de la cheminée.

Elle se sentit tirée en arrière jusqu'à ce que ses épaules viennent toucher la poitrine de Sin. La chaleur qui émanait de ce corps viril la transporta. Un feu dévorant se mit à couler dans ses veines. Lorsqu'il commença à la caresser, elle se sentit défaillir.

Une envie soudaine la saisit de toucher ces doigts qui

126

allaient et venaient sur sa gorge avec une telle douceur. De toutes ses forces, elle emprisonna les poignets de Sin. Tout désir de lui échapper s'était évanoui à l'instant même où il avait posé les mains sur elle. Une seule chose comptait maintenant : prolonger ces minutes exquises...

Le jeune homme avait penché la tête vers elle et effleurait doucement de son menton la luxuriante chevelure noire de sa compagne. Des effluves de tabac et d'eau de Cologne parvinrent aux narines de Mara, déchaînant en elle un torrent d'émotions. Prise de frissons, elle ferma les yeux mais cela ne fit qu'augmenter son trouble.

— Vous voyez... murmura-t-il d'une voix sourde, l'allégresse qui s'empare de vos sens à mon contact est chose naturelle. Il est inutile de chercher à lutter contre elle. Votre volonté n'y peut rien. Il faut apprendre à dissocier votre esprit de votre corps...

« Mais mon esprit lui-même n'échappe pas à votre emprise ! » eut-elle envie de lui crier. Elle avait l'impression d'être livrée corps et âme à cet homme. La passion des sens l'emportait sur tout le reste. Il la dominait tout entière. Elle tenta vainement de protester.

— Cela ne s'arrêtera-t-il jamais ?

— A ma connaissance, il n'y a qu'un remède à l'attirance sexuelle, c'est l'exposition prolongée...

Sin parcourait des lèvres le visage de la jeune fille, provoquant en elle une succession de délicieux frissons.

— Et si vous le voulez, cette soirée pourrait être le prélude à une série d'expériences du même genre.

— Oui, approuva Mara dans un souffle.

Elle sentit contre son oreille sa respiration chaude et accélérée. Alors elle se serra plus étroitement contre sa poitrine comme si elle voulait se fondre en lui. Elle était sur le point de succomber lorsqu'il se détacha d'elle.

— Voilà votre vin, lui dit-il en lui tendant son verre.

Elle le regarda sans comprendre. Où voulait-il en

venir ? Elle n'avait pas soif le moins du monde ! Mais comme Sin semblait en exprimer le désir, elle s'empara du verre d'une main mal assurée. La seconde d'après, Sin la soulevait de terre et l'emportait dans ses bras jusqu'au canapé. Arrivé là, il s'assit sans pour autant la lâcher.

— Buvez !

Refermant sa main sur les doigts tremblants de Mara, il l'aida à porter le verre à ses lèvres. Devant l'air apeuré de la jeune fille, il sourit.

— Ne craignez rien, je ne cherche pas à vous enivrer. Mais un peu de vin ne vous fera pas de mal, au contraire il vous aidera à vous détendre.

Mara se demanda s'il n'était pas sorcier pour voir aussi clair en elle. Malgré le confort de sa position, elle se sentait en effet contractée à l'idée qu'elle était peut-être trop lourde pour Sin.

Fascinée par l'éclat légèrement voilé du regard bleu, elle commença à boire. Il laissa glisser sa main le long de son poignet en un lent va-et-vient qui la ravissait. Lorsqu'elle abaissa son verre, il scruta ses lèvres où perlait encore une goutte de vin.

— Si nous voulons réussir notre entreprise, reprit-il d'une voix altérée par l'émotion, nous devons procéder progressivement. Pour ce faire, et avant d'aller plus loin, il faut d'abord que vous vous habituiez aux caresses…

En entendant sonner dix heures, Mara voulut se lever mais il la retint.

— Vous me comprenez ?

Se penchant légèrement, il s'empara d'une grappe de raisin et la coupa en deux pour lui en offir une moitié.

— Mangez, lui dit-il. Inutile de vous inquiéter, c'est une variété sans pépins.

Il posa un grain au bord des lèvres de la jeune fille qui, un instant interdite, finit par le laisser glisser dans sa bouche.

— Délicieux, n'est-ce pas ?

— Oui, murmura-t-elle, un peu honteuse des pensées que ce geste avait fait naître en elle.

— Un autre alors...

Cette fois, Sin lui présenta la grappe entière.

Devant son insistance, Mara se sentit obligée de s'exécuter. Elle en était à son quatrième grain lorsqu'il lui saisit le poignet et porta le grain qu'elle se destinait à sa bouche. Un trouble violent s'empara de la jeune fille à la pensée de la sensualité contenue dans ce geste.

Et ils continuèrent à manger le fruit de cette façon-là. Entre deux grains de raisin, les jeunes gens buvaient une gorgée de vin. La gêne que Mara avait ressentie en se retrouvant sur les genoux de Sin se dissipait peu à peu. Elle en venait à trouver la situation presque naturelle.

Une fois le vin terminé, son hôte s'empressa de reposer le verre sur la table, et elle se retrouva les mains vides. Curieusement désemparée, elle se demandait à quoi les employer lorsque Sin décida pour elle. D'autorité, il lui prit la main et pressa ses lèvres chaudes contre la paume.

Avec une lenteur appliquée, il remonta le long de son bras et trouva la bouche qui tressaillit à son contact. Le baiser qui s'ensuivit fut donné sans précipitation. Conscient du manque d'expérience de son élève, le professeur savait se montrer patient.

Et Mara ne cherchait plus à se dérober. Sous la conduite savante de Sin, elle apprenait à savourer chaque minute qui passait. Les caresses du jeune homme, d'une douceur infinie, faisaient naître une multitude d'ondes à la surface de sa peau. « Si seulement le temps pouvait s'arrêter ! » se prit-elle à souhaiter.

Mais loin de s'arrêter, le temps poursuivait son œuvre. Les baisers de Sin, en se prolongeant, conduisaient la jeune fille au paroxysme du désir. Tout un monde de sensations nouvelles s'offrait à elle. Elle en

129

venait même à aspirer à un accord plus total encore
Mais le maître, lui, était bien décidé à ne pas brusquer
son élève et répétait inlassablement les mêmes leçons

La pendule fit entendre à nouveau son carillon
Emportée dans un tourbillon qui lui faisait confondre le
martèlement de l'horloge avec ses propres battements
de cœur, la jeune fille n'y prêta pas attention. Mais Sin
était là qui veillait.

Sa bouche s'attarda un instant sur celle de Mara avant
de s'en détacher, comme à regret. En voyant le regard
lumineux qui se levait vers lui, il prit une profonde
inspiration comme s'il devait faire face à une terrible
lutte intérieure.

— J'ai promis à Adam de vous ramener à onze
heures. Il est temps pour nous de partir...

Onze heures. Adam. Promesse... Les mots se
frayaient péniblement un passage dans l'esprit de Mara.
Après les brumes du désir, ce brusque retour à la réalité
lui laissait un goût d'insatisfaction, doublé d'amertume.
D'une voix pleine de rancune, elle lui jeta :

— Si cela continue, vous allez prétendre que vous
renoncez à profiter de votre avantage par respect pour
cette promesse que vous faite à Adam !

Sin s'était relevé. Il la prit aux épaules pour l'obliger à
le regarder bien en face. Sous l'intonation railleuse de
Mara, il avait cru déceler une pointe de regret.

— Sachez-le, jeune fille : il n'a jamais été dans mes
intentions de « profiter de mon avantage », comme
vous dites.

Un voile de tristesse assombrit les yeux de la jeune
fille, et il se radoucit brusquement.

— Je ne me serais jamais permis d'abuser de vous
contre votre volonté...

Comprenant qu'elle s'était trahie, Mara se détourna
vivement en marmonnant.

— Je vais chercher mon manteau !

Sin la suivit sans un mot jusqu'au portemanteau où il ne risqua pas un geste pour l'aider à s'habiller.

— Au lieu de prendre la voiture, dit-il en enfilant son propre duffle-coat, je vais vous raccompagner à pied. Le grand air nous fera le plus grand bien à tous les deux !

Mara se garda bien de discuter. Elle reconnaissait sans peine qu'elle avait besoin de la fraîcheur de la nuit pour apaiser ses sens exacerbés. Que Sin en ait besoin, lui aussi, ne lui apporta aucun réconfort.

Une fois dehors, ce dernier sortit une lampe de poche de l'intérieur de sa veste. Un point lumineux ne tarda pas à leur ouvrir le chemin. Ils le suivirent en silence. Une brise glacée leur cinglait le visage, transformant leur souffle en nuages de buée.

La demeure de briques rouges était déjà en vue lorsque Sin se décida à briser le silence.

— Je rentre à Baltimore demain. Je ne serai pas de retour avant le week-end prochain, sans doute très tard dans la nuit de vendredi.

Mara continuait de regarder droit devant elle.

— N'oubliez pas de me laisser la liste de ce dont vous avez besoin, dit-elle très vite.

Une main s'abattit sur son épaule, la forçant à se retourner.

— Et vous, n'oubliez pas ce que vous avez appris.

La bouche impérieuse de Sin se posa sur la sienne. Le temps de réaliser que cette marche dans la nuit glacée n'avait en rien apaisé son désir, Mara rouvrit les yeux pour voir disparaître l'homme aux tempes argentées dans la nuit.

9

Le samedi suivant, Mara s'acquitta de la vaisselle du petit déjeuner avec une rapidité surprenante. Pour se retrouver désemparée quelques instants après... L'œil aux aguets, elle musarda dans la pièce à la recherche d'une occupation. Sin avait dû arriver très tard la veille au soir, ce qui expliquait pourquoi il ne s'était pas encore manifesté. Néanmoins, elle ne pouvait s'empêcher de l'attendre avec une impatience grandissante, mêlée, il est vrai, d'une certaine appréhension.

Comme elle passait pour la dixième fois devant la fenêtre, elle aperçut la voiture gris métallisé qui faisait halte devant la maison. Le cœur battant, elle s'écarta en toute hâte de la croisée. Il ne devait pas s'imaginer qu'elle guettait son arrivée — et, même si c'était le cas, elle était beaucoup trop fière pour l'admettre.

Aussi saisit-elle le premier prétexte venu pour ne pas quitter la cuisine : s'emparant vivement de la bouilloire, elle s'employa à faire du café. Ainsi, le dos tourné à la porte, elle pourrait toujours feindre de ne pas avoir entendu son arrivée.

Contrairement à ce qu'elle avait prévu, Sin entra sans frapper. Le bruit d'une porte qu'on claque, et il était dans la cuisine. Elle se retourna d'un bond pour se retrouver sous la coupe d'un regard d'azur nimbé de brume.

— Bonjour, Mara !

La chaude intonation de la voix la désarma.

Incapable de répondre avec naturel, elle se retourna vers la cuisinière où l'eau commençait à bouillir.

— J'étais précisément en train de faire du café. Je vous en offre une tasse ?

Elle parlait d'une voix tendue, soucieuse de réprimer le tremblement qui s'était emparé de ses mains.

— Non, je n'ai pas envie de café...

Avant que la jeune fille ait pu prévenir son geste, il s'était rapproché d'elle et lui glissait les mains autour de la taille.

— ... ni vous non plus, d'ailleurs.

Paralysée par l'émotion, elle sentit la tête de Sin qui se nichait au creux de son épaule.

— Où se trouve Adam ? lui souffla-t-il à l'oreille.

— Dans la pièce voisine...

Elle avait peine à s'exprimer, tant la magie de l'instant était forte.

Sin l'obligea à se tourner vers lui et la pressa contre sa poitrine. Puis, d'un geste tendre, il lui releva le menton et appliqua doucement ses lèvres sur les siennes. Eperdue, Mara lui répondit avec fougue. Tous les faux-semblants étaient désormais bannis. Manifestement satisfait de son élève, Sin releva la tête et laissa doucement errer ses doigts sur les lèvres frémissantes.

— Je vois que vous n'avez pas oublié, murmura-t-il.

Sans transition, il lui prit la main.

— Allons trouver Adam.

— Mais... pourquoi ?

Elle le regardait sans comprendre.

Sin l'entraîna sans répondre hors de la cuisine. Plongé dans le journal d'un soldat rebelle, le père de Mara était dans son bureau. A l'entrée des deux jeunes gens, il leva la tête et son visage s'éclaira.

— Sin ! Comment allez-vous ?

Il ne semblait pas le moins du monde surpris de les voir tous les deux devant lui, main dans la main.

— Avez-vous des projets pour aujourd'hui, Adam ? demanda le compagnon de Mara sans tenir compte des efforts désespérés de celle-ci pour dégager sa main.

— Aucun. Pourquoi ?

Adam faisait effort pour ne pas sourire.

— J'aimerais vous enlever Mara pour la journée. Je sais bien qu'elle n'aime pas vous laisser seul si long-temps, mais j'aurais besoin d'elle pour me guider à travers la ville de Lancaster que je n'ai pas encore le plaisir de connaître.

— Pas de problème, rétorqua Adam en haussant les épaules.

Mara les regardait poursuivre leur dialogue sans trouver la force d'intervenir. La présence de Sin à ses côtés suffisait à balayer toutes ses objections.

— Sam Jenkins viendra passer l'après-midi avec moi, poursuivit son père. Depuis qu'il a pris sa retraite, il ne rate pas une occasion de sortir de chez lui !

— Vous pourriez l'appeler tandis que votre fille se prépare, suggéra adroitement Sin avant de se tourner vers celle-ci.

— Combien de temps vous faut-il ? Je vous donne dix minutes, pas une de plus.

Sans laisser à Mara l'occasion de reprendre ses esprits, il la poussa doucement vers l'escalier.

En un laps de temps si court, la jeune fille n'eut guère le loisir de se demander si elle avait réellement envie ou non d'accompagner Sin à Lancaster. Elle troqua rapide-ment son pantalon contre un ensemble en angora bleu, se brossa les cheveux en toute hâte et redescendit.

— Prête ?

Sin l'aida à enfiler son manteau.

Avant de sortir, elle jeta un regard inquiet à son père qui s'empressa de la rassurer.

— Sam est déjà en route pour venir ici. Ne te fais pas de soucis pour moi, tout ira bien !

— Il y a du sauté d'agneau dans le réfrigérateur, lui recommanda-t-elle. Demande à Sam de le faire réchauffer pour votre déjeuner.

— Fais-nous confiance, nous ne manquerons de rien ! Sam n'a pas son pareil pour piller un réfrigérateur !

Sur ces bonnes paroles, Adam posta son fauteuil sur le seuil de la porte pour les voir partir. Sin avait déjà ouvert la portière, côté passager.

— Je préfère conduire, expliqua-t-il en aidant sa compagne à prendre place à l'intérieur. Ainsi, il me sera plus facile de détourner mon attention de vous...

Le regard éloquent qu'il lui jeta n'était guère fait pour apaiser le trouble de Mara. Celle-ci était la proie d'une vive agitation qu'elle avait toutes les peines du monde à contrôler.

— Croyez-vous qu'Adam saura se débrouiller ? dit-elle comme ils sortaient de la propriété.

— Au lieu de centrer toutes vos pensées sur Adam, vous feriez mieux de prêter un peu plus d'attention à votre chauffeur, ne croyez-vous pas ?

— Et de quelle manière, s'il vous plaît ?

Il y avait de la provocation dans la question de Mara, et celle-ci fut la première étonnée de l'avoir posée.

— Tout dépend de vos talents de guide, rétorqua Sin que cette impertinence inattendue semblait amuser. Nous allons voir si vous êtes aussi bien documentée sur les attraits industriels de Lancaster que sur le passé historique de Gettysburg.

— Je peux d'ores et déjà vous dire que cette ville a été fondée par un groupe d'immigrants allemands, et non hollandais, comme on pourrait le croire.

Tout à coup, la jeune fille avait retrouvé son assurance et baignait à présent dans une sorte d'euphorie.

— Voilà un bon début ! constata Sin en souriant.

Mara tourna la tête pour admirer le paysage. Le soleil

136

brillait dans un ciel immaculé. Rien ne viendrait altérer la perfection de cette journée, elle en eut soudain la conviction.

Lorsqu'ils arrivèrent à Lancaster, elle le guida à travers les rues de la ville, en prenant soin d'éviter le quartier du centre, jugé trop commercial. Les commentaires coulaient naturellement de ses lèvres : elle avait cessé d'être sur la défensive.

Ils déjeunèrent dans un restaurant réputé pour ses spécialités locales. Après quoi, ils décidèrent de continuer leur visite à pied. Sin glissa son bras sous celui de Mara comme si c'était là la chose la plus naturelle du monde.

L'après-midi touchait à sa fin lorsqu'ils se décidèrent enfin à regagner la maison. Dans la voiture, une douce béatitude envahit la jeune fille dont la tête reposait sur l'épaule de Sin.

A leur arrivée, Sam Jenkins venait tout juste de partir. Adam s'empressa de leur dire qu'il n'avait pas vu le temps passer ; à peine s'il avait pu faire la moitié de ce qu'il avait projeté. C'est lui qui invita Sin à rester dîner. Celui-ci ne se fit pas prier, d'autant plus que Mara avait insisté personnellement pour qu'il accepte.

Après dîner, les deux hommes entamèrent une partie d'échecs tandis que la jeune fille se retirait dans la cuisine pour faire la vaisselle. Adam venait de conclure par un splendide « échec et mat » lorsqu'elle réapparut au salon. Il se renversa dans son fauteuil roulant en souriant.

— Vous n'avez pas l'esprit au jeu, mon cher Sin ! Ma victoire a été trop facile.

— Vous avez sans doute raison, concéda son adversaire en glissant un regard en direction de Mara comme si elle était la cause directe de sa défaite.

La jeune fille voyait mal comment, se trouvant dans la cuisine, elle aurait pu être responsable du manque d'attention de Sin. Mais ce compliment déguisé la bouleversa et lui alla droit au cœur.

— Que diriez-vous d'un bon chocolat chaud ? suggéra-t-elle.

— Cela me paraît, ma foi, une excellente idée ! s'exclama son gourmand de père. Seulement, pour ma part, je prendrai le mien dans ma chambre. La journée a été longue, et je commence à en ressentir les effets.

Malgré ses affirmations, il ne paraissait nullement fatigué. Mara eut même l'impression fugitive qu'il n'avait jamais été aussi éveillé ! Mais peut-être était-elle victime de son imagination... Elle préféra ne pas approfondir la question et profiter de l'occasion qui lui était offerte de rester seule avec Sin.

Ce dernier s'empressait déjà auprès d'Adam.

— Je vais vous aider pendant que Mara prépare le chocolat.

La jeune fille se retrouva donc à la cuisine qu'elle venait de quitter quelques instants plus tôt. Elle n'en eut pas pour longtemps à faire chauffer le lait et à le mélanger au cacao. Une odeur délicieuse se dégageait des bols lorsqu'elle apporta le plateau au salon. Elle en laissa deux sur la table basse et se dirigea, avec le troisième, vers la chambre de son père.

Lorsqu'elle entra, Sin se retira discrètement pour les laisser en tête-à-tête. Adam était au lit. Elle posa le bol fumant à côté de lui, sur la table de chevet.

— Sin m'a raconté la bonne journée que vous aviez passée, lui glissa négligemment son père.

— Oui. Voilà longtemps que je n'étais pas allée à Lancaster, et cela m'a fait plaisir de revoir la ville.

Ce n'était pas avec son père qu'elle se laisserait aller aux confidences. Et de toute manière, l'extraordinaire attirance que Sin exerçait sur elle était encore trop récente pour en parler ouvertement.

— Bonne nuit, Adam.

— Bonne nuit.

Dans le salon, une musique douce filtrait du poste de radio. Sin se retourna à son entrée et lui tendit la main en silence. La jeune fille hésita. Elle avait soudain conscience de son manque d'expérience.

— Je ne sais pas très bien danser, lui dit-elle.

— Vous verrez, c'est très facile, il suffit de vous laisser aller.

Sans lui laisser le temps de réfléchir, il s'approcha d'elle et la prit dans ses bras. Une avalanche de sensations fondit sur elle. Il la guidait doucement au rythme lent de la musique, et la chaleur de ce corps musclé contre le sien la faisait défaillir. Subjuguée, elle leva les yeux vers lui et se perdit dans la profondeur de son regard.

Son parfum, la puissance virile qui émanait de lui la troublaient au-delà de tout. Lorsqu'il lui prit la main pour la porter à ses lèvres, elle oublia la musique ambiante. Le corps parcouru de frissons, elle sentait un feu dévorant la consumer tout entière.

Délaissant sa main, il chercha ses lèvres et s'en empara avec passion. Tremblante de désir, la jeune fille s'abandonna à son étreinte. Lorsqu'elle rouvrit les yeux, elle était sur les genoux de Sin. Celui-ci l'avait conduite, sans qu'elle s'en aperçoive, dans le fauteuil le plus proche. Elle ne fit pas un geste de protestation. Obéir à toutes ses exigences était devenu pour elle le plus exquis des plaisirs.

Lorsqu'il voulut se détacher d'elle, elle laissa échapper un gémissement de protestation et tenta de le retenir. Il parut légèrement surpris mais n'en résista pas moins avec fermeté.

— Notre chocolat va être froid, murmura-t-il.

— Cela m'est égal, reconnut-elle avec une totale franchise.

Sans tenir compte de ses dénégations, il l'obligea à se lever.

— Moi aussi, mais je pense néanmoins que vous feriez mieux d'aller le faire réchauffer…

Il s'était levé à son tour et la poussait doucement vers la cuisine. A contrecœur, Mara s'exécuta. Sin la rejoignit quelques instants plus tard. Ils discutèrent de choses et d'autres en évitant soigneusement toute allusion à leur étreinte de tout à l'heure. Avant de partir, il lui souhaita bonne nuit et lui promit de revenir le lendemain.

Les week-ends se succédèrent ainsi sur le même modèle. Deux jours durant, ils ne se quittaient plus ; soit ils restaient chez Mara, ou bien ils projetaient une excursion dans la région. La jeune fille ne vivait plus que dans l'attente du samedi matin et de l'arrivée de Sin.

Le week-end avant Noël suivit de près une forte tempête de neige. Ce samedi-là, Mara se demandait avec angoisse si Sin avait pu venir malgré les routes enneigées. Elle ne cessait de faire des aller et retour à la fenêtre lorsqu'elle entendit derrière elle la voix de son père.

— Sœur Anne, ne vois-tu rien venir ?

— Je ne vois pas ce que tu veux dire, répliqua la jeune fille en détournant son regard de la fenêtre.

— Ah ! Tu ne vois pas ? Alors, j'ai dû me tromper. Je croyais que tu guettais l'arrivée de Sin.

Elle jeta un coup d'œil à l'horloge.

— C'est exact. D'habitude, il est déjà là, n'est-ce pas ? s'enquit-elle d'un air faussement dégagé.

Adam ne s'y méprit pas.

— Je ne suis pas aveugle, Mara.

Il souriait d'un air entendu.

— Voilà trois week-ends que vous ne vous quittez pas. Vous êtes devenus inséparables, et j'ai dû m'habituer à l'idée de perdre ma fille deux jours par semaine… Si tu t'inquiètes pour Sin, pourquoi ne pas aller jusqu'au cottage pour voir s'il est bien arrivé ?

— Tu crois ?

Elle avait renoncé aux faux-semblants.

— Cela vaudra mieux que d'arpenter la pièce de long en large comme un lion en cage...

Partagée entre l'envie d'être rassurée et le caractère osé d'une telle démarche, Mara hésitait. Elle se décida brusquement à suivre le conseil de son père.

— J'y vais, lui jeta-t-elle en se dirigeant vers le porte-manteau.

— S'il est là, ne te presse pas pour rentrer. Je peux très bien me débrouiller tout seul !

Adam la regardait enfiler son manteau avec un sourire indulgent.

A peine avait-elle fini de s'habiller que la porte s'ouvrit et Sin apparut. En le voyant, le visage de Mara s'illumina. Pour un peu, elle se serait jetée dans ses bras.

Mais quelque chose dans l'expression du jeune homme l'en dissuada.

— Bonjour, Adam ! lança-t-il en s'adressant à son père avant de se tourner vers elle. Vous sortiez ? lui demanda-t-il.

L'attitude distante dont il faisait preuve incita Mara à garder le secret sur sa destination.

— Oui, j'allais me promener...

Le cœur lourd, elle déboutonna son manteau.

— Une tasse de café ? Je viens d'en préparer. Il doit être encore chaud.

— Volontiers.

Il s'avança jusqu'à la cuisine et s'assit à côté d'Adam.

Tandis qu'elle sortait les tasses, les deux hommes s'entretinrent du temps et des difficultés de circulation sur les routes. Le café servi, elle s'assit en face de Sin, de l'autre côté de la table. Il lui sourit, mais n'en continua pas moins de converser avec son père.

— Une chose est sûre : nous aurons un Noël blanc cette année ! déclara Adam. Cette neige n'est pas près de fondre, et cinq jours seulement nous séparent du 25 décembre. Les passerez-vous au cottage, Sin ?

— Non, je dois rentrer à Baltimore demain après-midi, mais je serai de retour la veille de Noël et resterai jusqu'au lundi suivant.

Cette nouvelle réchauffa le cœur de Mara.

Devinant sa réaction, son père la gratifia d'un sourire.

— Pourquoi ne demanderais-tu pas à Sin de t'aider à décorer le sapin ?

— C'est une idée, répliqua-t-elle en essayant de cacher son plaisir.

— Je suis un expert dans l'art d'accrocher les étoiles au sommet de l'arbre de Noël ! lança Sin que cette idée semblait séduire. Avez-vous déjà acheté le sapin ?

— Pas encore, répliqua la jeune fille. Je comptais justement aller en ville aujourd'hui.

— Si vous voulez, nous pouvons y aller ensemble.

Mara ne demandait pas mieux.

La journée se passa à choisir l'arbre, descendre les boîtes de décorations du grenier, dresser la crèche sur le manteau de la cheminée au milieu de buissons de houx savamment disposés. Sin avait rapporté du gui. Après l'avoir agrémenté d'un ruban, il le suspendit dans l'entrée au-dessus de la porte du salon.

De là, il fit signe à Mara, mais, intimidée par la présence de son père, elle préféra ignorer son appel et s'éloigner en souriant comme s'il s'agissait d'une plaisanterie. Mais Sin ne l'entendait pas ainsi. En deux enjambées, il l'avait rejointe et l'entraînait sous le gui où il l'embrassa avec une lenteur appliquée.

Mais ce fut le seul baiser qu'elle reçut ce jour-là, et cette pensée ne cessa de la ronger toute la soirée. Le week-end précédent, elle avait cru remarquer une certaine indifférence sur le visage de Sin. Il ne l'embrassait plus, semblait-il, avec la même fougue. Elle avait tenté de chasser cette idée en la mettant sur le compte de son imagination, mais plus le temps passait, et plus cette impression se confirmait.

Le dimanche, celle-ci s'imposa avec plus de force encore. Ils étaient assis au cottage devant la cheminée. Après une promenade dans la forêt recouverte de neige, ils avaient fait halte chez Sin et allumé un bon feu de bois pour se réchauffer. Malgré l'intimité du lieu, le jeune homme ne semblait pas d'humeur tendre. A peine s'il s'était risqué à embrasser Mara.

Le silence s'était installé entre eux, et cette dernière se sentait étrangement mal à l'aise. Sa tête reposant sur le coussin du canapé, elle se tourna pour scruter le profil de Sin. Il avait fermé les yeux, mais elle savait qu'il ne dormait pas.

— Aimiez-vous votre femme, Sin ? lui demanda-t-elle en effleurant la laine rugueuse de son chandail.

Les paupières de son compagnon s'entrouvrirent paresseusement.

— Je l'aimais, oui. Mais il y a différents degrés dans l'amour, vous savez, Mara. S'il ne fait aucun doute que votre père aimait votre mère, il l'aimait certainement moins que la femme pour laquelle il l'a quittée...

La réponse fut loin de satisfaire Mara, mais à quoi d'autre pouvait-elle s'attendre de la part d'un homme aussi secret que Sin ? Elle s'absorba dans la contemplation du plafond.

— Nous aurions dû profiter de notre petite expédition en ville pour acheter également quelques décorations de Noël pour le cottage, reprit Sin au bout d'un instant.

Il tenait manifestement à faire dévier la conversation.

— Nous aurions dû y penser, en effet...

Elle embrassa la pièce d'un regard circulaire, avant d'ajouter d'un ton glacial.

— J'aime assez les aménagements que vous avez apportés à cette pièce. Qui a décidé du choix des meubles ? Vous ou Célène ?

— Moi. Célène m'a fait quelques suggestions, mais les décisions me reviennent entièrement.

Il y avait une pointe d'amusement dans sa voix.

Mara éprouva un brusque soulagement qui la poussa à demander :

— Vous vous ennuyiez avec Célène ?

— Je vois que vous savez, à vos heures, faire preuve d'une certaine perspicacité... répliqua-t-il avec l'air de quelqu'un que le sujet laissait profondément indifférent.

— Et avec moi ?

Elle avait risqué la question, la gorge serrée par l'émotion.

Sin se laissa retomber nonchalamment sur les coussins. Une lueur sombre brillait dans ses yeux gris-bleu.

— Devinez... lança-t-il avant de se pencher pour l'embrasser.

Mara trouva que son baiser manquait de conviction. Une évidence soudaine la transperça comme un glaive : il commençait à s'ennuyer avec elle aussi ! Ce n'était encore qu'un début, mais elle ne se sentait pas la force d'attendre la rupture qui n'allait pas manquer de s'ensuivre. Elle n'y survivrait pas. Mieux valait abréger tout de suite.

Elle se leva précipitamment. S'il n'avait plus la moindre envie de l'embrasser, elle ne lui infligerait pas plus longtemps cette épreuve. Elle se dirigeait vers la porte lorsqu'il la rattrapa et lui posa la main sur l'épaule.

— Que se passe-t-il ?

Il semblait désemparé par son attitude.

— Je vous en prie, n'insistez pas ! jeta-t-elle sèchement en se libérant d'un mouvement brusque.

— Mais pourquoi ? Je ne comprends pas...

La jeune fille n'avait pas le courage de lui dire la vérité. Il allait encore invoquer des tas d'arguments, et elle finirait par se laisser convaincre. Or, si elle voulait garder le contrôle de la situation, il lui fallait sauver la face.

— Je crois que je commence à m'ennuyer avec vous, voilà la vérité...

— Quoi ?

Sin la força brutalement à se retourner et scruta intensément son visage.

— Souvenez-vous, reprit-elle, vous m'avez dit vous-même que l'attirance physique pouvait s'éteindre d'elle-même au bout d'un certain temps... Eh bien, c'est ce qui se produit pour moi : lorsque vous me prenez dans vos bras, je ne ressens plus la même émotion qu'au début.

Ce qui n'était, somme toute, pas faux, puisque celle-ci allait au contraire grandissant.

Il rejeta la tête en arrière et la considéra d'un air sceptique. Comme s'il se méfiait d'elle... Un pli sévère marquait sa bouche.

— Je crois avoir dit, en effet, quelque chose dans ce genre-là, admit-il d'un ton sinistre.

— Je n'avais pas l'intention de vous en parler, reprit-elle, mais puisque vous m'y obligez... Je sais combien l'amour-propre des hommes est vulnérable, mais la franchise est toujours préférable au mensonge.

— Qu'entendez-vous par là ?

Malgré ce qu'il lui en coûtait, Mara n'hésita pas à aller jusqu'au bout de son mensonge.

— Qu'il est inutile de vous déplacer pour Noël. Nous avons tout intérêt à espacer nos rencontres. Si vous désirez venir au cottage, libre à vous naturellement. Mais pour ce qui est de venir passer Noël à la maison... bien sûr, Adam n'aurait pas demandé mieux que de vous recevoir...

Elle ne pouvait se résoudre à prononcer l'irréparable. Sin le fit pour elle.

— Mais vous n'y tenez pas.

— Je... Non, je n'y tiens pas et rien ne m'y oblige, balbutia-t-elle au comble du déchirement.

— Non, en effet.

Il la relâcha brusquement et fit un pas en arrière.

— Je ne vais pas m'attarder plus longtemps. Mes affaires sont prêtes. Attendez-moi un instant, je vous déposerai chez vous en regagnant Baltimore.

Maintenant que l'inexorable était arrivé, Mara aurait préféré rentrer seule à pied plutôt que de supporter davantage la torture de la présence de Sin. Mais là encore, elle jugea bon de feindre l'indifférence.

— Peu m'importe d'attendre. Il fait si froid dehors !

— Je n'en ai pas pour longtemps, répliqua-t-il sèchement en disparaissant dans sa chambre.

La jeune fille profita de son absence pour éparpiller les cendres afin de laisser le feu s'éteindre. Elle n'ignorait pas, hélas, qu'il n'en irait pas de même de l'ardente passion qu'elle éprouvait à l'égard de Sin. L'énormité de sa décision lui apparaissait soudain dans toute son horreur.

Lorsque le jeune homme fut de retour, elle avait recouvré suffisamment de sang-froid pour affronter son regard. Elle avait revêtu un masque de froideur mais elle seule savait toute la souffrance qu'il cachait.

— Je suis prêt, lui dit-il. Nous y allons ?

Elle le suivit en silence.

Ils n'échangèrent pas une parole durant tout le trajet jusqu'à la maison. Mara faillit pousser un soupir de soulagement en ouvrant la portière. Elle n'aurait pas pu supporter une seconde de plus la présence de Sin sans s'effondrer.

— Dites au revoir à Adam de ma part ! lui lança-t-il avant de repartir.

— Je n'y manquerai pas.

La mort dans l'âme, elle se détourna pour courir vers la porte.

10

Mara pénétra dans la maison dans un état proche de la crise de nerfs. En écoutant décroître le bruit de la voiture de Sin, elle crut qu'elle allait hurler. Une douleur atroce lui serrait la gorge, et ses yeux étaient pleins de larmes.

Les guirlandes multicolores qui ornaient le sapin de Noël lui parurent soudain insupportablement criardes. Pour un peu, elle les aurait toutes arrachées, ainsi que les boules d'argent qui se balançaient langoureusement à l'extrémité des branches.

La vue du bouquet de gui suspendu au-dessus de la porte du salon fut pour elle le coup suprême. Le cœur déchiré, elle revivait par la pensée la scène de la veille. Un jour seulement s'était écoulé depuis le baiser de Sin... Elle n'arrivait pas à y croire.

Mue par une impulsion soudaine, elle s'empara d'une chaise qu'elle poussa sous le gui. Puis, sans même voir ce qu'elle faisait tant elle était aveuglée par les larmes, elle arracha le bouquet enrubanné et le jeta à terre.

— Mara ! Que fais-tu ?

Son père venait de surgir du bureau dans son fauteuil roulant.

— Tu le vois bien. J'enlève le gui.

Elle avait parlé sèchement pour masquer le tremblement de sa voix. En mettant pied à terre, elle évita soigneusement de croiser le regard de son père.

— Je le vois bien, répliqua celui-ci. Mais je me demande pourquoi...

— Parce que je trouve cette coutume ridicule, tout simplement !

Ce disant, elle ramassa le bouquet et le jeta dans une corbeille à papiers proche de l'endroit où elle se trouvait.

— Ce n'est pas l'avis de Sin, si j'ai bien compris ! Je me demande ce qu'il va dire lorsqu'il reviendra pour Noël...

— Il ne viendra pas.

Une larme s'échappa de ses yeux qu'elle s'empressa d'essuyer en espérant que son geste passerait inaperçu.

Mais c'était compter sans la perspicacité d'Adam. Un pli soucieux barra le front de ce dernier tandis qu'il se penchait vers elle.

— Qu'est-il arrivé ? Vous vous êtes querellés ?

— Pas exactement...

— Comment cela « pas exactement » ? Explique-toi !

Hésitant sur la conduite à suivre, elle resta un instant sans répondre.

— Je lui ai dit qu'il ferait mieux de ne pas venir à Noël, avoua-t-elle enfin.

— Mais pourquoi ? s'écria Adam, les sourcils froncés.

— Parce qu'il est préférable, pour lui comme pour moi, de ne plus se revoir ! rétorqua la jeune fille au comble de l'agitation. C'était voué à l'échec depuis le début, j'aurais dû le savoir !... Oh, et puis après tout, quelle importance ?

Elle essuya furieusement une autre larme.

— De toute manière, il ne s'est jamais intéressé à moi !

— Est-ce de Sin dont tu parles ? s'enquit son père après avoir prêté une oreille attentive à sa déclaration.

— Oui, murmura-t-elle dans un souffle.

Elle avait peine à contrôler sa respiration.

— Une conquête de plus, voilà ce que j'étais pour lui. Tôt ou tard, il se serait lassé de moi et m'aurait laissée tomber comme il l'a fait pour Célène.

— Célène ? Quelle Célène ?

— La rousse qui était avec lui la première fois qu'il est venu, tu ne te souviens pas ? Célène Taylor, qui n'arrêtait pas de l'abreuver de « Sin chéri » !

Le mépris dont elle avait chargé sa remarque ne lui apporta pas le soulagement escompté.

— Ainsi, tu as préféré prendre les devants et rompre la première ? en déduisit Adam avec sa perspicacité coutumière.

— Oui, c'était la seule solution... Je lui ai dit que je commençais à m'ennuyer avec lui, qu'il ne subsistait plus rien de tout ce que j'avais pu ressentir au début.

— Et qu'en est-il exactement ?

Le regard scrutateur de son père semblait la percer à nu.

— A-t-il réellement cessé de t'intéresser ? Dis-moi la vérité, Mara...

La sollicitude d'Adam eut raison des dernières réserves de sa fille. Sa détresse était si grande qu'il lui fallait la confier à une oreille amie. Elle ne pouvait plus la garder pour elle ! Comme elle s'avançait en hésitant vers le fauteuil de son père, celui-ci lui tendit les bras. Elle s'y jeta en sanglotant.

— Papa, je l'aime ! Si tu savais comme je l'aime ! balbutia-t-elle entre deux hoquets.

Une main compatissante se posa sur ses cheveux et les caressa doucement.

— Allons, ma petite fille, murmura-t-il d'une voix altérée par l'émotion. Pleure tout ton saoul, cela te fera du bien. Mais crois-en ton vieux père, tout va s'arranger, tu verras...

Des années de souffrances accumulées, de détresse et

d'amertume se déversaient dans les larmes de Mara. Elle se sentait abandonnée du monde entier. Et, clin d'œil suprême du destin, la main de son père était le seul lien qui la retenait à la vie.

Adam ôta son chandail et en couvrit les épaules de sa fille. Les sanglots s'espaçaient peu à peu. Il posa sur le petit visage baigné de larmes un regard plein d'amour.

— Là, ma chérie, calme-toi, papa est là...

La nuit tombait lorsque la tête de Mara émergea enfin de l'asile douillet des genoux de son père. Son désespoir semblait apaisé, mais une espèce de stupeur, d'égarement, voilait son regard.

— Comment te sens-tu ? s'enquit Adam d'un air inquiet.

— Je... je ne sais pas.

Au prix d'un douloureux effort, elle parvint à se relever et regarda sans le voir le chandail qui avait glissé à terre.

— Je me sens... comme droguée.

— Etends-toi un moment sur le canapé, lui conseilla-t-il doucement.

Elle s'exécuta comme une somnambule. En voyant Adam la couvrir d'un plaid, elle esquissa un geste de protestation. Mais celui-ci n'en tint aucun compte.

— Reste là et repose-toi, lui dit-il. Je reviendrai tout à l'heure voir si tout va bien.

Une minute ou une heure ? Mara ne sut jamais combien de temps son père était parti. Lorsqu'il revint, il portait un bol de bouillon fumant.

— Bois, cela te fera du bien.

Mais il dut la forcer pour qu'elle consente à en avaler une première gorgée. A la seconde, elle était déjà moins récalcitrante. Elle leva vers lui un regard empreint de gratitude.

— Comment as-tu fait ? murmura-t-elle, intriguée.

— Je ne suis pas invalide au point de ne pouvoir mettre une casserole sur le feu, rétorqua-t-il en souriant.

150

Dans un éclair, Mara se revit en train de soigner sa mère avec la même sollicitude. Elle comprit soudain toute la profondeur de l'amour qu'elle lui avait porté. Une vive douleur lui étreignit la poitrine.

— J'ai mal, murmura-t-elle.

— Oui, je sais.

Adam la débarrassa du bol à moitié vide.

— Dors maintenant. Au matin, la vie te paraîtra moins morne.

« J'en doute », songea Mara avant de fermer docilement les yeux. Lorsqu'elle s'éveilla, le lendemain, Adam était toujours là, comme s'il n'avait pas bougé de la nuit. En dépit d'un lancinant mal de tête, cette constatation lui fit le plus grand bien. Elle se leva.

— Je vais faire du café.

— Excellente idée ! s'exclama son père en la suivant dans la cuisine.

Il la regarda s'affairer en silence, avant de lancer brusquement :

— Et si tu t'étais trompée au sujet de Sin ?

Une lueur d'espoir naquit dans le cœur de Mara qu'elle s'empressa de réprimer aussitôt :

— Je le voudrais bien, soupira-t-elle, mais c'est impossible...

Elle s'interrompit pour jeter un coup d'œil à son père.

— Je sais quelle amitié vous unit, mais tu dois toi aussi te rendre à l'évidence comme j'ai dû le faire moi-même. Pour lui, j'étais une distraction comme une autre... un peu plus piquante, peut-être, parce que moins facile. En faisant ma conquête, il a seulement voulu se prouver une fois de plus qu'il était irrésistible !

Elle se détourna pour cacher ses larmes.

— Peu importe, maintenant tout cela est fini et bien fini. Inutile de s'apesantir sur le sujet.

Les jours suivants, la jeune fille opposa le même refus farouche à toutes les tentatives de son père. Peut-être parviendrait-elle plus tard à lui parler de Sin, mais il était encore trop tôt, la douleur était trop cuisante.

Cette épreuve semblait avoir insensiblement resserré les liens entre le père et la fille. Mais cela ne suffisait pas à créer une ambiance de fête dans la maison à l'approche de la Nativité. Soucieux de respecter les traditions, ils n'en échangèrent pas moins des cadeaux le soir du réveillon, mais le cœur n'y était pas. Sans se l'avouer, Adam et sa fille ne pouvaient s'empêcher de penser que Sin aurait dû être parmi eux.

Le matin de Noël ne différait pas des autres matins. Après le petit déjeuner, Mara lava les bols tandis que son père se retirait dans le salon pour assister au service religieux retransmis par la télévision. Les cantiques de Noël filtraient joyeusement à travers la porte.

Un désespoir sans nom envahit la jeune fille. Jamais elle n'avait senti comme aujourd'hui le poids de sa solitude. Refoulant son chagrin, elle tenta de masquer le bruit de la musique à grand renfort de plats et de casseroles entrechoqués. Mais rien n'y fit. Elle dut finalement s'interrompre pour essuyer les larmes qui ruisselaient sur ses joues. Puis, vaillamment, elle reprit sa tâche et enfourna le rôti destiné au déjeuner de midi.

Grâce à Dieu, les chants prirent bientôt fin pour laisser place au sermon. Quelque peu apaisée, elle commençait à éplucher les légumes lorsque son père l'appela.

— Mara ? Peux-tu venir un instant ? Il semble que le Père Noël se soit finalement résolu à t'envoyer ton cadeau.

La jeune fille se leva en soupirant. Un instant, elle avait été tentée de répondre qu'elle était occupée, mais Adam devait lui avoir ménagé quelque surprise, et elle ne voulait pas le décevoir. Le pauvre espérait sans doute lui changer les idées... comme si c'était possible !

Le Père Noël. Cette simple évocation la fit sourire. Voilà bien longtemps que le Père Noël ne lui avait pas rendu visite ! Elle était encore bien jeune lorsqu'elle avait passé son dernier Noël entre son père et sa mère, tous trois unis comme une vraie famille... A cette époque, le Père Noël ne manquait jamais de déposer un présent dans ses souliers, sans se soucier de savoir si elle croyait ou non à son existence. Peut-être Adam s'en souvenait-il encore...

Délaissant pour un temps ses tâches culinaires, Mara se leva et dénoua son tablier.

— J'arrive ! cria-t-elle.

Comme elle se dirigeait vers le salon, elle entendit claquer la porte d'entrée. Un pli interrogateur lui barra le front. Quelle boutique pouvait bien accepter de livrer un jour pareil ?

Son père l'accueillit avec un sourire rayonnant. Comme elle se demandait quelle pouvait bien être l'origine de cette soudaine allégresse, son regard fut attiré par l'ombre d'une silhouette dans l'entrée. En se penchant, elle découvrit Sin. Vêtu d'un costume bleu marine, il arborait un air sombre et ne faisait pas un geste pour entrer dans la pièce. Interdite, elle hésitait entre la joie et la crainte de se trahir.

— Sin ! s'exclama-t-elle enfin. Que faites-vous ici ?

Il eut une imperceptible crispation des mâchoires.

— Adam m'a dit que vous m'aviez menti.

— Comment ? Quand... ?

Elle jeta un coup d'œil éperdu à son père. Se pouvait-il qu'il l'ait trahie pour le seul plaisir de la voir tomber de son piédestal ?

— Je lui ai téléphoné hier, crut bon de préciser Adam.

— Comment as-tu osé ? s'écria-t-elle, soulevée d'indignation.

— Peu importe la façon dont j'ai été informé, coupa Sin d'une voix sèche. Une seule chose m'intéresse : m'aviez-vous menti, oui ou non ?

Prise au piège, Mara ne pouvait faire autrement que d'en convenir.

— Oui, murmura-t-elle dans un souffle.

Mais cette réponse ne suffit manifestement pas à apaiser la colère du jeune homme.

— Pourquoi, Mara ? Pourquoi ? rugit-il d'une voix sourde.

— Parce que... je pensais que vous étiez sur le point de vous lasser de moi.

— Quoi ? s'écria-t-il, interloqué.

— Ne faites pas l'innocent, riposta-t-elle vivement. Vous savez très bien ce que je veux dire. Depuis quelque temps, vous étiez de plus en plus distant. Lorsque nous étions ensemble, une part de vous-même avait l'air ailleurs.

— Et vous en avez conclu que je commençais à me lasser de vous, continua-t-il d'un ton qui mettait en doute l'intelligence de la jeune fille. Ne vous est-il jamais venu à l'idée qu'un homme digne de ce nom pouvait avoir des appétits d'homme, et que ce petit jeu commençait à lui peser ?

Elle le considéra avec méfiance. Elle avait peur qu'il ne cherche à l'abuser.

— Non, avoua-t-elle enfin.

— Et en quoi cela vous importait-il que je me lasse ou non de vous ? Nous avions projeté de tenter une simple expérience, n'est-ce pas, sans autres conséquences ? Alors, pourquoi vous en soucier ?

Une fois de plus, il la déroutait par sa promptitude à dominer les situations. Heureusement pour Mara, son père s'interposa.

— Elle est tombée amoureuse de vous.

Le regard de Sin s'attarda sur elle avec une insistance redoublée.

— Est-ce vrai ? lança-t-il sans une ombre de douceur.

Attaquée sur tous les fronts, Mara exhala un « oui » qui était presque un cri.

Sans plus attendre, Sin se tourna vers Adam.

— Monsieur Prentiss, je vous demande la permission d'épouser votre fille.

— Accordée.

Les yeux d'Adam étincelaient de gaieté en se posant sur le visage abasourdi de sa fille.

Pendant ce temps, Sin avait sorti quelque chose de sa poche et franchissait à grandes enjambées la distance qui le séparait de Mara. Il lui tendit un coffret dont la jeune fille s'empara dans l'hébétude la plus totale. Elle ne savait plus ce qu'elle faisait, ni même où elle se trouvait. D'une main tremblante, elle ouvrit la boîte. A l'intérieur, un magnifique solitaire scintillait de tous ses feux.

— Voulez-vous m'épouser ? lui demanda Sin qui ne s'était pas départi de sa sévérité.

— Oui, répondit-elle dans un souffle.

Pour la première fois depuis son arrivée, les traits du jeune homme s'adoucirent. Le soulagement se mêlait à une autre émotion, plus forte encore.

— Encore un petit effort, Mara. Je vous demande de faire le premier pas...

Il n'eut pas besoin de le répéter deux fois. Elle vola littéralement vers lui. Refermant ses bras sur elle, il l'embrassa avec fougue. Adam en profita pour s'éclipser discrètement.

— Je n'arrive pas encore à le croire, murmura-t-elle entre deux baisers. Est-ce que je rêve ?

— Non, ma chérie, ce n'est pas un rêve.

Pour appuyer ses paroles, il lui caressa tendrement les cheveux.

— Alors, c'est vrai, vous m'aimez ? répéta-t-elle comme pour mieux s'en persuader.

— Mais oui, petite folle ! souffla-t-il en resserrant son étreinte. A chacune de nos rencontres, je tombais un peu plus amoureux de vous... jusqu'à ce que l'irrémédiable s'accomplisse et que je ne puisse plus envisager de vivre sans vous.

— Comme moi, répondit-elle en effleurant de mille baisers le beau visage aux traits virils.

— La première fois où je vous ai vue au cottage, j'ai d'abord été fasciné par votre beauté brune, votre sourire de glace qui osait me défier. Et puis, peu à peu, cette fascination s'est transformée en quelque chose de plus profond...

Sin ponctua sa déclaration d'un baiser brûlant de passion.

— J'aurais dû prévoir que vous vous déroberiez une fois de plus, ajouta-t-il d'un ton accusateur.

— J'avais tellement peur de vous perdre ! tenta-t-elle d'expliquer. Plutôt que d'accepter cette éventualité, j'ai préféré rompre tout de suite. Je pensais que ma souffrance serait moins vive si je prenais les devants. Si j'avais su...

— Et moi qui m'efforçais de ne pas vous brusquer pour ne pas vous effaroucher...

Il acceptait de prendre lui aussi une part des torts.

— Que serait-il arrivé si Adam ne vous avait pas appelé ?

Elle en frémissait rétrospectivement.

— Je n'aurais pas renoncé pour autant. Lorsque j'ai reçu son coup de téléphone, j'étais déjà en train d'élaborer un nouveau plan de bataille... Mais maintenant je n'ai plus à m'inquiéter. Vous allez devenir ma femme... et très bientôt.

— Oui, s'empressa d'acquiescer Mara, avant d'ajouter presque timidement : j'aimerais un mariage à l'église pour que... mon *père* puisse m'accompagner jusqu'à vous.

Un sourire se dessina sur les lèvres de Sin.

— J'aime vous entendre parler ainsi d'Adam... lui dit-il avant de sceller leur bonheur d'un nouveau baiser.

Étude des POISSONS

par MADAME HARLEQUIN

(19 février-20 mars)

Signe d'Eau
Maître planétaire: Jupiter
Pierres: Turquoise, Chrysolite
Couleurs: Bleu azur, Marine
Métal: Etain

Traits dominants:

Fidélité, loyauté
Rêveur, imaginatif, très émotif
Agit plus par intuition que par raisonnement

POISSONS

(19 février—20 mars)

Voici le signe du Zodiaque qui bat tous les autres pour ce qui est du besoin d'amour. Ce natif a besoin d'aimer et de se sentir aimé. Il est tout ce qu'il y a de plus romanesque. Très jeune déjà, il affectionnait non seulement ses proches, mais des animaux, des lieux particuliers de son enfance. La vie, pourrait-on dire, l'attache.

Aussi est-il quelque peu étonnant de voir Mara devenue "insensible" à autrui, et même à son propre cœur. Mais elle ne fait que cacher autant qu'elle peut ses instincts, de peur d'être déçue, et de se retrouver encore plus seule.

Pauvre Mara. Mais Sin, avec sa nature gaie et taquine, lui a ouvert les portes d'un nouvel univers. Grâce à lui, elle pourra enfin vivre selon sa nature...amoureuse!

Collection Harlequin

Les chefs-d'oeuvre du roman d'amour

Recevez *chez vous* 6 nouveaux livres chaque mois... et les 4 premiers sont GRATUITS!

Associez-vous avec toutes les femmes qui reçoivent chaque mois les romans Harlequin, sans avoir à sortir de chez elles, sans risquer de manquer un seul titre.

Des histoires d'amour écrites pour la femme d'aujourd'hui

C'est une magie toute spéciale qui se dégage de chaque roman Harlequin. Ecrites par des femmes d'aujourd'hui pour les femmes d'aujourd'hui, ces aventures passionnées et passionnantes vous transporteront dans des pays proches ou lointains, vous feront rencontrer des gens qui osent dire "oui" à l'amour.

Que vous lisiez pour vous détendre ou par esprit d'aventure, vous serez chaque fois témoin et complice d'hommes et de femmes qui vivent pleinement leur destin.

Une offre irrésistible!

Recevez, *sans aucune obligation de votre part*, quatre romans Harlequin tout à fait *gratuits!*

Et nous vous enverrons, chaque mois suivant, six nouveaux romans d'amour, au bas prix de $1.75 chacun (soit $10.50 par mois), plus de légers frais de port et d'emballage.

Mais vous ne vous engagez à rien: vous pouvez annuler votre abonnement à tout moment, quel que soit le nombre de volumes que vous aurez achetés. Et, même si vous n'en achetez pas un seul, vous pourrez conserver vos 4 livres gratuits!